JOVETTE BERNIER

Journaliste, poète et romancière, Jovette Bernier est née à Rimouski, en 1900. Après des études à l'École normale des Ursulines à Rimouski, elle enseigne de 1917 à 1923, puis s'établit à Québec où elle commence une carrière dans le journalisme. Elle débute à *L'Événement* en 1923, puis elle passe à *La Tribune* en 1926. Elle collabore à bon nombre de journaux et revues, dont *L'Illustration* (devenue *Montréal-Matin* en 1941), *La Revue moderne, La Muse française* et *Le Journal de la femme* (Paris), *L'Ordre, La Patrie, Radiomonde, Châtelaine,* où elle est courriériste du cœur de 1957 à 1973. Après quelques années de travail à la radio, à CKAC notamment, elle entreprend une carrière de scripteur à la télévision, entre autres pour le téléroman *Rue de l'Anse.* L'œuvre publiée de Jovette Bernier comprend cinq recueils de poésie, deux romans et un essai. En 1929, *Tout n'est pas dit* mérite la médaille du Lieutenant-gouverneur et, en 1969, *Non, Monsieur* obtient le prix du Cercle du livre de France.

LA CHAIR DÉCEVANTE

Abandonnée par un amant ambitieux et sans scrupule, qui lui a préféré la fille d'un riche avocat, Didi Lantagne, par amour pour l'enfant qu'elle porte et non sans un secret désir de vengeance encore refoulé, a résolu de faire face à la vie et au « déshonneur », tout en expiant sa faute dans le remords et la souffrance morale. Publié pour la première fois en 1931 dans la série « Les Romans de la jeune génération » des Éditions Lévesque, réédité en 1933 à compte d'auteur, le roman *La chair décevante* de Jovette Bernier fut l'objet d'une occultation qui dure depuis ce temps. D'une part, c'est la rançon de la majorité des ouvrages publiés entre 1900 et 1940 de connaître une carrière d'empoussiérage sur les rayons de bibliothèque. D'autre part, la facture résolument nouvelle du roman fut accueillie de façon assez sèche par les chroniqueurs de l'époque, épris qu'ils étaient par les grandes règles de la grammaire française avec, en double fond, le souci de faire respecter et rayonner une morale saine, donc catholique.

LA CHAIR DÉCEVANTE

JOVETTE BERNIER

La chair décevante

Présentation de
Roger Chamberland

BIBLIO • FIDES

Mise en pages : Marie-Josée Robidoux
Conception de la couverture : Gianni Caccia
En couverture : © Irina Solatges / ©LittleLion Studio Shutterstock Images

Catalogage avant publication de Bibliothèque et Archives nationales du Québec et Bibliothèque et Archives Canada

Bernier, Jovette, 1900-1981

La chair décevante

(Biblio Fides ; 29)

Édition originale : Montréal : Éditions A. Lévesque, 1931.

ISBN 978-2-7621-3860-3 [édition imprimée]
ISBN 978-2-7621-3861-0 [édition numérique PDF]
ISBN 978-2-7621-3862-7 [édition numérique ePub]

I. Chamberland, Roger, 1955-2003. II. Titre. III. Collection : Biblio-Fides ; 29.

PS8503.E787C5 2014 C843'.52 C2014-941581-8
PS9503.E787C5 2014

Dépôt légal : 3e trimestre 2014
Bibliothèque et Archives nationales du Québec

La maison d'édition reconnaît l'aide financière du Gouvernement du Canada par l'entremise du Fonds du livre du Canada pour ses activités d'édition. La maison d'édition remercie de leur soutien financier le Conseil des Arts du Canada et la Société de développement des entreprises culturelles du Québec (SODEC). La maison d'édition bénéficie du Programme de crédit d'impôt pour l'édition de livres du Gouvernement du Québec, géré par la SODEC.

Imprimé au Canada en août 2014

Présentation

Publiée pour la première fois en 1931 dans la série « Les Romans de la jeune génération » des Éditions Lévesque, rééditée en 1933 à compte d'auteur, *La chair décevante* de Jovette Bernier fut l'objet d'une occultation qui dure depuis ce temps malgré une réédition faite par Fides en 1982. Plusieurs raisons peuvent expliquer cet état de fait. D'une part, c'est la rançon de la majorité des ouvrages publiés entre 1900 et 1940 de connaître une carrière d'empoussiérage sur les rayons des bibliothèques, indépendamment de leurs qualités ou de leur valeur documentaire. Plusieurs commentateurs s'accordent à faire débuter la littérature québécoise avec l'avènement de la Seconde Guerre mondiale, enterrant ainsi à coups d'axiomes et de préceptes une production abondante quoique inégale — en cela les choses n'ont pas changé — d'œuvres qui sont pourtant déterminantes dans la constitution d'un corpus littéraire québécois. D'autre part, la facture résolument nouvelle du roman de Jovette Bernier fut accueillie de façon assez sèche par les chroniqueurs de l'époque, épris qu'ils étaient par les grandes règles de la grammaire française avec, en double fond, le souci de faire respecter et rayonner une morale saine, donc catholique.

L'éditeur Albert Lévesque, autrement surnommé le « Gaston Gallimard canadien », a créé cette collection des « Romans de la jeune génération » dans le but très précis « de modifier l'orientation de nos œuvres romanesques [car] jusqu'ici nos écrivains semblaient limiter leur inspiration aux sources historiques et régionalistes, sinon apologétiques, voire romans à thèses nationales ou religieuses. [...] La psychologie de nos individus ou celle de nos classes ne mérite-t-elle pas d'être étudiée ? » (*Almanach de la langue française*, 1932, p. 257). Ces remarque et interrogation d'Albert Lévesque, qui prennent ici valeur de réquisitoire en faveur des romans qu'il a primés, sont fort significatives puisqu'elles mettent à jour la véritable filiation des deux premiers livres de la série qui ont soulevé quelques objections et dénigrements de la part de la critique : *Dans les ombres*, d'Eva Senécal et *La chair décevante*, de Jovette Bernier. De fait, celui de la journaliste de la *Tribune* de Sherbrooke fut le plus vertement critiqué par les critiques de toute obédience : des abbés Louis Bethléem et Camille Roy jusqu'à « Stello » (pseudonyme de Claude-Henri Grignon), en passant par Lucien Parizeau, Georges-Émile Marquis, Albert Pelletier, Jules Larivière, Jean Bruchési et plusieurs autres, sans oublier « Hélène » (pseudonyme d'Hélène Brouillette), « Louise » (pseudonyme de Louise-Georgette Gilbert) et Marie-Jeanne Paquette, trois voix féminines qui, curieusement, prirent la défense de la romancière et de son œuvre, à cette nuance près qu'elles se défendirent de « vouloir poser à la critique ». Ainsi, pouvons-nous constater un front commun des critiques (mâles) qui, au-delà des simples considérations morales ou stylistiques, tentaient de jeter le discrédit sur un genre romanesque où des écrivains s'engageaient : le roman psychologique et, plus précisément, le discours amoureux. De surcroît, ce sont d'abord deux jeunes femmes qui s'essayaient dans cette veine, imitées quelque temps plus tard par Harry Bernard, qui vient sauver, avec *Juana, mon aimée*, « l'honneur du sexe fort » pour reprendre l'expression de Jean Bruchési, signalant par le fait même toute la condescendance du commentateur sur ces écritures de femmes.

Il ne faut pas croire à l'exclusivité d'une telle conception car elle fut partagée par ses contemporains et transmis à leur descendance jusqu'à ce que les intimées réagissent. En ce sens, on peut noter et évaluer l'ostracisme du pouvoir masculin en signalant qu'aucune œuvre écrite par des femmes durant les années 1900 à 1940 ne s'est rendue jusqu'à nous par le jeu des rééditions. Quelques exceptions sont néanmoins à signaler, Marie-Claire Daveluy et « Maxime » (pseudonyme de Marie-Caroline-Alexandra Bouchette), dont les rééditions avortent à la fin des années cinquante et qui concernent plus la littérature de jeunesse que le roman proprement dit ; seul *Grand-Louis l'innocent* de Marie Le Franc, prix Fémina (1927), a survécu et a été réédité en 1978, près de cinquante ans après sa dernière parution, ainsi que *La rivière solitaire*, dont la dernière édition remonte à 1961. Mais il s'agit ici de véritables cas d'espèces puisque l'auteur est française d'origine et n'a vécu qu'une vingtaine d'années au Québec.

L'attitude sexiste de la critique n'est pas seule en cause car, outre le fait d'être femmes, Jovette Bernier et Eva Senécal s'inscrivent dans une collection qui privilégie les romans de la jeune génération ; la première a trente et un ans et la seconde vient tout juste d'en avoir vingt-six. L'une comme l'autre n'en sont d'ailleurs pas à leur première publication, chacune ayant déjà publié des recueils de poésie. Mais ce n'est pas tant l'âge qui prime que les idées et surtout le style utilisé que l'on conteste. Du roman de Jovette Bernier, très peu de commentateurs apprécient la phrase télégraphique, syncopée qu'elle emploie, rapprochant cette manière d'écrire du jazz, musique condamnée à l'époque, autant par ses origines raciales et sociales que par le symbole qu'elle représente. De même, les nombreuses inversions, les sous-entendus marqués par de nombreux points de suspension, les retours en arrière sont matières à caution, car on apprécie peu les dérogations aux règles de composition et de grammaire françaises. Bref, on est réfractaire à toutes formules nouvelles, surtout lorsqu'elles sont mises de l'avant par une femme.

De plus, le contenu du roman indispose plusieurs lecteurs qui ne peuvent admettre qu'une femme manifeste une telle désinvolture — Jovette Bernier n'ose-t-elle pas écrire : « J'étais dans mon cœur la plus amorale des femmes » (p. 16) —, une conduite correspondant à ses désirs et formule, bien qu'en sourdine, une remise en question de son état et de son rôle dans la société, ces données sur lesquelles la religion était intraitable. L'épopée d'une fille-mère, sa détermination à prouver aux autres et à elle-même que l'Amour est plus fort que tout, qu'il doit primer sur l'hypocrisie et les règles sociales, ainsi que la valorisation de la personnalité de l'individu —, d'où le caractère intimiste d'une telle œuvre —, voilà, fondamentalement, la thèse sous-jacente à *La chair décevante*. Que la société ait raison de son destin et la détourne vers la folie, ce sur quoi se termine le roman, n'est pas une fin si improbable que cela puisse paraître. Le recensement des hôpitaux psychiatriques et les statistiques concernant la fréquentation des spécialistes de la santé mentale nous apprennent que les femmes en forment la majorité des usagers et pensionnaires. L'argumentation stylistique et le plaidoyer moralisateur servent d'écran aux véritables raisons qui justifient une telle attitude du commentateur littéraire.

Finalement, et c'est là l'un des griefs majeurs qui est adressé à Jovette Bernier, on l'accuse d'avoir choisi son titre dans le seul but « [d']épater le bourgeois, niche de petite fille qui se moque de toute discipline » (Jean Bruchési, *La Revue moderne*, février 1932, p. 16). Le ton paternaliste de Bruchési, et l'on pourrait également citer Lucien Parizeau, n'est plus à démontrer, mais relève d'un chauvinisme mâle exécrable qui dut décourager plus d'une romancière. À peine les femmes commencent-elles à former un noyau opérant en littérature entre 1900 et 1940, aussitôt elles sont rabrouées et confinées à produire un discours assujetti aux prérogatives du groupe dominant. Pourtant Jovette Bernier surmontera les aléas d'une première édition passablement esquintée par la critique littéraire et s'éditera elle-même, à ses propres frais, deux ans plus tard. Cette persévérance est d'autant plus justifiable que *La chair décevante* est un roman qui, malgré certaines faiblesses, propose des points de vue toujours actuels en dépit des apparences. Le libéralisme de la société contemporaine camoufle de façon très subtile et encourage des valeurs rétrogrades que Jovette Bernier dénonçait très précisément, il y a cinquante ans.

La réédition dans « Biblio Fides » ne doit pourtant pas nous faire oublier que le roman date d'une époque révolue certes, mais dont on n'a pas encore départagé et mis en évidence les assises proprement littéraires sur lesquelles s'est constitué le corpus littéraire québécois. Aux grands aînés que l'histoire littéraire a toujours valorisés au détriment de ceux et celles qui, en leur temps, et dans la mesure des moyens qui leur étaient permis sans risquer l'opprobre — en ce sens, le geste de Paul-Émile Borduas, soit la publication de *Refus global*, ou avant lui Albert Laberge ou Jean-Charles Harvey, en sont les exemples les plus patents —, ont préparé le terrain à un véritable renouvellement des formes et à un élargissement du champ des préoccupations autrement confiné à de pures tergiversations aux réponses fournies à l'avance par le Pouvoir.

ROGER CHAMBERLAND

LA CHAIR DÉCEVANTE

Sur l'écran, sous les feux de la rampe,
la souffrance est divine pour la foule.
La même souffrance dans la rue
et dans les chambres closes,
cela s'appelle du déshonneur.

I

Lombreval, 25 juillet 19...

À monsieur Jean Vader,
Montréal.

Ce que je fais ici ? je regarde, tout le jour, si tu viens ; je m'inquiète quand le soir arrive tout seul. Pour te sourire avant lui, je me lève avant le soleil ; je passe mes journées sur la grève ; je bois tout l'été qui passe, et je m'ennuie.

Les nuits sont trop belles, ce qui t'explique pourquoi je dors sur les galets dans les chaudes matinées. Je m'ennuie, et j'ai ennuyé la lune à force de la regarder s'arrondir sur la mer ; j'ai importuné les oiseaux... ils ne comprennent pas qui est cette folle qui sommeille à midi et qui s'oublie sur son balcon, la nuit.

Viens. Tu ne me reconnaîtras plus bientôt : je suis basanée jusqu'aux chevilles, et il paraît que je fais pitié dans du blanc. Viens. Si je désapprenais à rire, où trouverais-tu les traits de ta Didi, ensuite ? Viens, pour que j'aime mieux tout ce que j'aime.

Didi.

L'heure du bain. Maillots bigarrés, unicolores, têtes diverses, rires divers. Toute cette jeunesse qui s'ébroue, et la belle marée qui s'effrange. Détente voluptueuse des corps. Des enfants se mêlent, timides.

Là-bas, ce globe de feu qui va tomber dans l'eau et qui ne s'éteindra jamais; qui flamboiera demain sur la montagne de l'autre côté... Des barques. C'est cela la vie reposante?

...Non, ce n'est pas cela la vie reposante. Ce que c'est, au juste, je ne sais pas; il y a des gens qui la portent en eux, pour d'autres, et qui ne s'en soucient pas; il y a des gens qui fuient avec toute la tendresse qu'ils nous doivent.

Il y a une épaule où j'ai égaré la joie que j'avais autrefois, et cette épaule a gardé la consolation que j'y devais prendre en retour. Il y a des bonheurs qui sont faits pour nous et que d'autres emportent sans le savoir. Tout cela il faut le rebâtir ailleurs.

Le jour où j'aurais le courage d'avouer, j'aurais le droit de ma franchise; ah! la surprise de rencontrer son regard qui ne me mépriserait pas, si je parlais...

Jean viendra demain. Sa lettre est sereine, confiante et calme au point de donner le vertige; c'est comme une grande plaine sans accidents où le regard voit trop de pareil.

Je voudrais qu'il me devine, qu'il m'accuse, qu'il me fasse mal. Cette quiétude envers moi me désempare. Il m'aime pour ce que je devrais être et que je ne suis pas; pour un passé qu'il me fait selon son rêve d'homme fanatisé.

Je lui pardonnerais qu'il fut un traître, un assassin...

Mais Jean n'a rien à se faire pardonner que des peccadilles qui n'en sont même pas à mes yeux.

Jean a l'âme que j'avais à seize ans.

Ah ! l'orgueil des yeux qui n'ont pas péché. L'exigence du cœur qui ne se reproche rien.

J'ai dit mille choses futiles pour éviter le sujet nécessaire ; j'ai été légère pour ne pas paraître soucieuse ; pour ne pas paraître songeuse, j'ai fait de si distraites réflexions pour me ressaisir… que j'ai honte de l'âme montrée à l'envers.

* * *

J'ai mal dormi. Cinq heures. Il dort ; en caressant son sommeil, j'ai mis dans mes baisers toute la tristesse de ma vie inconnue qui nous sépare dès qu'il se réveille. J'ai mis ensuite sur ses lèvres la joie imaginée que j'aurais s'il savait et qu'il m'aimât quand même… Je n'ai pas fermé les yeux pendant que je songeais à tout cela, parce que Jean dormait. J'ai été triste sans contrainte ; comme il aurait vu des traits étranges, s'il avait ouvert les yeux.

Quand je pouvais dormir comme Jean, j'habitais une petite chambre avec un demi-lit que partageait ma sœur ; avec une table si petite que je n'appuyais pas le coude pour y écrire ; la lampe n'avait jamais assez d'huile pour une veillée ; ma bibliothèque : trois livres qui ne m'appartiennent pas et que j'échangeais chez une amie.

Quand je dormais comme Jean, je n'excusais personne qui eût fauté, j'étais pure. Je méprisais des hommes et des femmes que j'aime aujourd'hui et que je ne reverrai jamais plus ; j'ai fait pleurer des malheureux ; j'aimais les hypocrites sans m'en rendre compte, parce que je leur ressemblais. J'avais l'orgueil des vertueux.

J'allais à l'encontre de toutes les lois naturelles : ma taille trop moulée me faisait honteuse ; mon bras nu était un péché ; le regard des hommes brûlait ma chair : j'étais dans mon cœur la plus amorale des femmes sans m'en douter. On me lavait d'absolutions ; après, mes mains scrupuleuses et voluptueuses touchaient des lys et les abandonnaient, quand leur petite chair se faisait douce à mes doigts comme mon corps jeune…

— C'était si beau, hier soir, la vague sur la pointe, là-bas, dit Jean en m'apercevant ; si nous y retournions avant le déjeuner ?

— La marée est lente, ai-je répondu, nous arriverons juste à temps.

Et pendant qu'il descendait la plage en maillot marine et blanc, j'admirais ces muscles, ce torse délié ; je lui proposais, en riant, la petite baie taillée dans les brisants, où l'on s'écorche les pieds ; et je pensais à tout autre chose : je lui faisais un corps malingre, stature moins haute, moins belle ; j'enlevais à ce physique superbe ce qu'il avait de fort et de triomphant, et je parais son âme de tout cela dont je déparais son corps que j'aimais. Je le faisais blond, quoique je l'aimasse brun, parce que les blonds sont plus faibles ; je sacrifiais sa tête adorable, toujours pour orner son cœur, pas assez homme, pas assez comme je l'aurais voulu.

Il a remarqué en route que ma robe était jolie ; ma robe de toile rose ; il a relevé mon chapeau pour voir mes cheveux et l'a rabattu si légèrement. Il m'a embrassée comme on embrasse un enfant.

— Tu vois, Didi, la lame qui s'en vient, c'est toujours la troisième qui s'effrite, tu vois… étrange hein ? Regarde : ces deux petites ne peuvent jamais se rendre, la troisième les recule en les surpassant…

J'ai dit : la vague est verte ici ; plus loin, elle est bleue ; au bord, toute blanche.

Et je pensais : toi, Jean, tu n'as pas de nuances. L'Autre en avait : des jours, il était doux, plus doux que tu ne peux l'être, toi si doux ; il était brutal, l'Autre, à ses heures : des mots impardonnables que je pardonnais le lendemain, quand je reconnaissais un homme avec tout ce qui fait un homme…

— Quel jour m'as-tu le moins aimé, depuis… que nous nous aimons ? me dit Jean, comme ça.

J'ai souri bêtement, comme en rêve. Je me suis reprise, j'ai souri mieux, avec calme, comme pour dire : « allons, ce n'est pas possible ».

Je mentais. Je n'avais pas la confiance d'être franche avec lui. J'ai vu que c'était inutile. Il s'abandonnait dans sa candeur, ne doutait ni de lui ni de moi. Je me méprisais vis-à-vis de lui.

…L'Autre, un être que je pouvais haïr et aimer, parce qu'il savait me faire mal et racheter tout cela de tendresses ; parce que, quand j'étais soudain plus douce après des jours d'absence, il me disait : qu'as-tu à te faire pardonner ?

Et même si je n'avais rien, je trouvais toujours quelque chose d'oublié. Puis c'était la bataille à coups de paroles. Des silences, où j'avais peur de le perdre, où il craignait mon abandon.

Puis, c'était l'amour. On se pardonnait. Il n'était pas frivole, pas innocent non plus ; je le savais capable de me tromper autant que de m'être fidèle ; je savais et je ne savais pas. C'était charmant. L'amour prenait toutes les figures.

Il m'a peut-être gâtée l'Amour, celui-là…

⋆ ⋆ ⋆

Le jour où j'ai le moins aimé Jean ? Pauvre grand Jean sans nuances. Ce qui me change un peu son caractère, c'est l'absence. Absent, je le désire ; je le désire parce que je l'imagine : c'est un autre Jean que je fais selon mon cœur. Il vient : c'est le même Jean qui m'a fatiguée l'autre jour ; qui ne m'étudie pas, ne devine rien, ne sait rien me reprocher ; le Jean qui m'aime pour ce que je ne lui ai jamais dit, qu'il devrait savoir et qu'il ne pourrait pas supporter en moi.

J'ai bien envie de lui écrire : Jean Vader, tu as près de trente ans, je n'en ai pas vingt-cinq et tu dors comme je dormais à seize ans. Dommage que tu n'aies pas vieilli ; triste, que je sois déjà plus vieille que toi. Ce tas d'humanité qui te frôle, tu le partages en deux : pour toi, il y a les bonnes gens et les gens méprisables. Et pour être de ces bonnes gens, il ne faut pas que la vie nous ait balafrés. Jean, la vie m'a balafrée ; la vie m'a cassé le rire sur les dents !

Oui, tout lui écrire : la vie...

Mais non, toi, tu ne peux pas regarder les plaies qui saignent et qu'on guérit tout seul, en cachette, en les traitant mal. Tu aurais peur de ce que j'ai enterré et qui devrait vivre, pourtant ; tu aurais peur de ce qui vit et qui devrait encore appartenir au néant. Je courrai vers toi, Jean, le jour où tu auras souffert, parce que tu auras honte de saigner devant la foule, et que tu seras affolé d'étouffer tout seul...

Moi qui t'aime, je te souhaite ce que ton pire ennemi ne te souhaiterait pas : pour que tu ne perdes pas ta vie, il faut que tu la connaisses, telle, âpre, tenaillante, troublante ; la vie qui nous apprend devant quoi fléchir, devant quoi rester debout : la lutte, le courage, les défaillances, les erreurs, les soufflets, le mépris, la honte, le doute, et l'ennui, ce linceul. Il faut que tu l'apprennes, la régénération du cœur.

Comme tu m'aimerais, Jean, si on t'avait déjà battu!...

Lombreval, 5 septembre 19...

Mon amour,

Je te quitte. Pourquoi ? Je ne te vaux pas. Tu es meilleur que moi et tu ne perds rien en me perdant. Il y a des choses qu'on avoue, et d'autres qu'on laisse mourir en soi. Et puis je n'ai pas le droit d'accepter le sacrifice que tu ferais, même si tu m'aimais encore après l'aveu. Adieu. Je t'aime, je t'aime, je t'aime.

Didi Lantagne.

Adieu Jean. Nous nous serions peut-être compris, mais le rude pas à franchir. Je ne suis qu'une femme. Tu ne m'as jamais demandé rien de grave de mon passé. Si tu avais parlé, je n'aurais pas eu la faiblesse de te mentir. Adieu, je ne t'ai pas menti, je n'ai rien dit.

Seule, je suis moins seule qu'avec lui: je ne m'interdis pas de penser, de m'attendrir, de regretter, de m'encourager, de désespérer et de retendre le nerf qui s'affaisse. Tu me déprimais. Je suis libre, je respire, je vis.

Et dire qu'il ne pourra peut-être pas même me haïr...

⋆ ⋆ ⋆

La feuillée termine ses arches dans les sous-bois; les matins sont frais; le jardin aurait tant de fleurs à faire cueillir; je n'attends plus personne.

Pour qui cette coquetterie qui me reste? pour qui ce ruban dans mes cheveux? pour qui ces asters, ces œillets, ce bouquet que j'apporte à la maison? pour qui, je n'attends plus personne.

Personne. Mais lui, le petit qui grandit, il faudra que sa mère soit belle plus tard; travaillons pour demain. But caché de ma vie. Idéal proscrit. Le reste du monde peut s'effondrer pourvu que tu me restes. La société te défend de mes caresses, mais le cœur des mères se glisse derrière les lois des hommes.

Il m'aime aujourd'hui pour des jouets et des bonbons.

Dans quelques jours, j'arriverai, le cœur fondant, dans cette famille étrangère, où je le trouve ou endormi, ou jouant, très affairé dans la cour. S'il dort, j'approcherai ma chaise tout près de son lit; j'attendrai, respirant à peine, et je me pencherai, comme cela, pour voir comme il est beau, pour souffrir de ne pas l'embrasser tout de suite; ses petits pieds de Jésus seront comme à l'ordinaire, en dehors de la douillette; ses petits pieds: deux roses sur le satin bleu...

J'y vais.

Mon tailleur marine et mon renard bleu. Adieu, Vader que j'aimais. J'ai un fils qui fait ma joie et ma peine: tout ce qu'il faut pour remplir une vie. De quoi me mêlais-je donc en t'aimant!

* * *

Dans le train qui brûle les distances, je me souviens d'un autre train; celui qui, jadis, commença la trame sérieuse de ma vie. C'était en avril; l'air suggérait de partir, le printemps était complice; l'amour croyait être sincère. Il m'attendait; c'était juré, la fidélité. Nous

nous sommes trompés. Trop tard; l'avenir corrigera le passé, s'il le peut.

Il y a six ans déjà; mon fils a cinq ans: cheveux bouclés, mutin; ses yeux sont gris, il sera brun en vieillissant. Sa photo? je l'ai.

Il est crâne là-dessus…

Mon Dieu, je t'ai trop de fois demandé pardon pour que tu nous regardes mal tous trois; j'ai pleuré pour eux et pour moi; je ne crois plus être méchante à tes yeux.

Tout ce beau temps qu'il fait; ces chemins en traînées de lumière; ce soleil exaspérant, ces ombres amollissantes. Sur la banquette voisine, un couple s'amuse; l'enfant qu'ils ont est gentil. Quand les mères voient sur leur route des enfants beaux et gentils, le leur est toujours plus beau, plus mignon, plus câlin. Tous trois: c'est un rêve que j'ai fait. Raté.

Que la vie nous en vole des rêves qu'on habille en bleu, en rose, parce qu'elle ne peut pas les faire si jolis. C'est avec cela qu'on rend la vie jalouse, et méchante, et voleuse.

Dire qu'on m'a volée et que, maintenant, c'est moi qui ne suis pas honnête devant les yeux qui savent. Parce que j'ai souffert, moi, je ne suis plus honnête.

Sur l'écran, sous les feux de la rampe, la souffrance est divine pour la foule. La même souffrance dans la rue et dans les chambres closes, cela s'appelle du déshonneur.

On aime le rêve, on aime la féerie, on n'aime pas la vie; tant pis, la vie, en revanche, nous vole ce qu'on aime. C'est-à-dire que désormais…

Pour la première fois, j'ai pleuré sur le sort de mon fils. Avant, j'imaginais des choses, mais là il s'est plaint, le petit. J'aurais vu, que ce ne serait peut-être rien;

il pouvait bien avoir tort; déjà tort, le pauvre... mais pour moi, sa mère, non; et même encore s'il l'avait mérité, c'est du mal pour lui et pour moi.

Deux âmes dans le corps que j'ai. Son petit bras potelé, douloureux, il me l'a montré; il s'est battu avec les bambins, et tout petit, parmi les autres.

— Vois-tu, m'a-t-il dit en retenant une lippe, je leur prêtais tous les jouets, mais je voulais garder mon cheval de bois, et...

— Et puis?

Le plus hardi des gars m'a avoué:

— Vous voyez, madame, le poltron qui s'en va, il lui a dit en se tenant dessus: « de qui c'est, que t'es le fils, toi?... »

....

C'est tout ce que l'on gagne à être vaillante; car, enfin, c'est la vie qui me l'a donné, cet enfant.

Il y a quelque chose de plus fort que le courage, la tendresse, le dévouement, le sacrifice; quelque chose de plus fort que le vouloir humain; il y a plus fort que toi, l'Amour, et toi, la Mort; plus fort que tout, plus fort que vous tous, il y a la Vie. Elle m'en a coulé, celle-là, de l'orgueil. Celle-là, elle m'en a rabattu... Mais moi, qu'importe, maintenant, qu'importe.

Une lettre de Jean! Y a-t-il des choses plus importantes les unes que les autres, désormais? Une seule: que mon fils soit heureux. La vie que je lui ai donnée, c'est un affront.

Je dois maintenant racheter.

Inutile, Jean, je t'écrirai: je pars en voyage.

* * *

Ne fleurissez plus, mes roses, je m'en vais; mes iris au cœur violet, je m'en vais, et j'ai fermé le volet où vous penchiez la tête si tristement. Je m'en vais, jardin, mon ami, regarde-moi bien... Grives et moineaux, la folle qui dormait à midi et s'oubliait sur son balcon, la nuit, elle s'en va...

* * *

J'en avais assez de cette solitude. J'ai voulu d'autres ennuis pour changer le goût des vieux. Depuis quatre mois une occupation de dactylo me fait la vie assez bien ordonnée. Et je n'attaque plus le capital. Qui l'eût dit? à quoi servirait cette dot, quand mon seul oncle qui me chérissait et me croyait vertueuse, signa tout en ma faveur? Lui, il ne s'est rien payé que de la misère... Et parti sans savoir que mon fils...

Je vieillirai vite maintenant; je ne voudrais pas tout perdre à la fois, et je voudrais tant tout sauver.

Mes appartements sont jolis: la fenêtre est claire, je vois dans la rue une foule pressée, un peu de la ville active et oiseuse, un peu de ce qui me ressemble. Mais ce n'est pas encore tout à fait cela, la vie reposante.

Ce matin, j'avais l'espoir haut sur la tête; tout allait mieux de ce que j'avais voulu et commencé. L'habitude m'aide, je ne peine plus si fort; et tout le monde est sympathique, au travail.

Je crois que je vais encore aimer quelqu'un...

C'est bon ce qui refleurit sous les larmes; tout ce qu'il y a d'intense et d'inconstant dans mes désespoirs comme dans mes joies, c'est bon; ce chagrin qui rit dans le coin de mes yeux, tout cela, c'est clair, c'est lavé, c'est purifié.

⋆ ⋆ ⋆

Comme on est faible quand on est sur le point d'être heureux. Je m'attache de plus en plus chaque jour. Il y a un arc-en-ciel de mon cœur à un autre; Lucien m'a dit, ce soir, en retenant mes mains:

— Si tu savais que je garde en mon âme une vengeance... tu m'aimerais moins?

J'ai pâli. J'ai pensé au père de mon enfant.

Sollicité, il a continué:

— Écoute. Ma sœur Odette est malheureuse. Tu comprends?

Ça ne me rassurait pas. Je voulais comprendre. J'étais soupçonneuse.

Il m'a raconté Odette; un pastiche de moi-même. Je ne l'ai pas cru.

Voyant un stratagème poli autant qu'habile, je n'ai plus pâli; j'ai feint de croire, sans pouvoir me défaire de paraître attendrie:

— Tu l'aimes, ta sœur...

— Elle est malheureuse.

— Et tu les aimes, les malheureux?

— Je les comprends. On est bien près d'aimer, Didi, quand on comprend.

Il a essuyé ses yeux, les miens; il a souri. Moi, je n'ai pas pu réussir mon sourire.

— Quand je t'amènerai Odette, n'aie pas l'air de savoir. Tu ne la mépriseras pas, si tu m'aimes?

Vague, j'ai dit: «pauvre enfant», sans savoir de qui je disais: pauvre enfant.

De mes yeux tombait plus de tendresse que je ne pouvais en exprimer.

Si c'était vrai, l'histoire d'Odette...

⋆ ⋆ ⋆

Un beau courrier, ce matin, mademoiselle Didi; et on ne vous sert pas trop mal, regardez.

— Enveloppe rose dessus, ai-je répondu à mon patron; mais ce n'est peut-être pas la plus tendre.

C'est gai, le matin, ce bureau; je m'y plais. Toujours anxieuse pour mes lettres, la rose: Louise, des mots d'amitié. L'autre: « le petit Paul demande pour Noël, une trompette, un petit train électrique, des... » pauvre mon petit Paul; et tout en bas de la lettre, des bécots à sa maman.

Qui m'écrit de la ville?... le pharmacien ou ma couturière?

« Je sais que vous... »

Hein! et pas signée; on ne signe pas ces choses-là.

J'ai essayé de me reprendre mais je sentais, toujours brûlant, ce soufflet sur ma joue. Je regardais mes traits en cachette: le soufflet.

Le soufflet restait. Je me disais toute seule, en me bravant: je le savais avant vous que j'étais mère; pour m'apprendre quelque chose, il aurait mieux fallu signer. Mais la joue rougie.

Demain, je surnagerai; la rude journée! Ce soir, de l'eau froide sur mes nerfs.

⋆ ⋆ ⋆

Comme ma chambre est songeuse. Il y a quelque chose d'humilié, de prostré partout. Il faudrait des iris sur la cheminée ; et si Lucien semble deviner quelque chose, je dirai : « ce n'est pas cela ; c'est un peu triste, seulement ; tu sais, les iris violets, c'est ma faiblesse, je les aime... » il faudrait...

Ce qu'il faudrait ? ce ne sont ni des iris, ni des contenances, ni des masques qu'il faudrait mais du courage, puis l'aveu... Non, pas encore.

Quelques jours avec mon fils ; ça passera, l'impression ; ça passera, cette chaleur qui s'énerve sur ma joue.

Et depuis des mois, c'est toujours de même... Mais, c'est vrai, l'histoire d'Odette. J'ai pu librement parler. Elle apprendra tout à Lucien quand je le voudrai. Et, s'il veut savoir plus, j'ajouterai à mes aveux, le nom de cet amant...

⋆ ⋆ ⋆

Sur vous, père apostat, la tache ne paraît pas : bourgeois généreux, bon père, époux sans reproche ; avocat des causes perdues que tu fais triompher ; de la fortune, grand train de vie, des amis ; des fillettes qui vous tendent les bras quand vous paraissez ; une femme fidèle que vous embrassez la dernière.

La tache ne paraît pas.

Le soir, les pieds sur les chenets ou sur un tabouret, vous ne vous souvenez plus. Renégat honoré. Ton fils, le nôtre, ne te connaît pas ; et pour sauver ton nom social, ton nom familial, ton fils portera toujours le mien. Tu voulais qu'il meure, celui-là ; tu voulais que je tue ce rêve trop accusateur, mais je l'ai sauvé pour l'Amour. Bois bien, mange bien ; roule carrosse ; ton fils se plaint : il a tes yeux, ta bouche, tes cheveux, mais il a mon courage aussi ; et la plainte des malheureux est une malédiction.

Ton fils vit. Il vit pour mon futur bonheur et pour ma revanche.

II

De tout ce que tu viens de lire, oui, il y a de cela quinze ans, mon fils : j'ai gardé pour ta vingtième année ce secret. Le voile est levé. C'est tout cela qu'il y avait dessous. Ne rougis pas. Si ta mère a des cheveux blancs, tu comprends pourquoi. Tu avais cinq ans, Paul, quand je suis allée te chercher chez les Toussaint...

— Alors, cet homme, mon père, qui est-il ?

— C'est l'homme que j'aimais encore, au moment d'épouser Lucien d'Auteuil... Prends garde de le haïr.

— Son nom, le mien ?

— Plus tard. Tu ne lui dois rien, maintenant ; ce que tu es aujourd'hui, la place que nous avons reconquise dans la société hargneuse et hostile, c'est Lucien d'Auteuil qui nous l'a gagnée ; c'est lui qui a battu les chemins, lui qui devait vivre et qui est mort. C'est lui qui m'a dit, quand il a tout su : « apprends-lui à joindre les mains, quand il n'en aurait besoin qu'une fois dans sa vie ». Il t'a donné son nom, quand ton vrai père avait peur de salir le sien et il est mort en t'embrassant, tu sais ? tu as été sa raison de vivre, son grand geste... Joins les mains, souvent, en secret, quand tu penseras à ce qu'il fut.

Et maintenant, sois un homme, mon Paul.

— Et personne ici ne sait, mère ?

— Personne.

Il sera brillant : c'est à son père qu'il devra cela, seulement cela. Le reste, c'est l'ouvrage de Lucien, le sacrifice de Lucien et un peu de moi-même. Il me fallait épouser cet homme pour me réconcilier avec le sort et me faire oublier l'Autre. Le fardeau me pesait trop : il a tout pris sur ses épaules viriles, et il a dit : suis-moi. Cœur mâle. Âme inexprimable. Lucien, tu n'aurais jamais dû mourir : je l'avais trouvée la vie reposante que j'ai tant cherchée. La vengeance que tu méditais pour un lâche, ce fut de me rendre heureuse.

Il est mort. Mon Dieu, comme on a besoin qu'il existe ton ciel, quand on a des êtres chers qui sont morts ! Tout ce que tu as de ravissant, tout ce que tu as de beau, tout ce que tu prépares aux tiens, là-haut, ou ailleurs, donne-le-lui, et ce ne sera pas assez ; tout ce que tu me réserves, quand je mourrai, enlève-le-moi, je m'en défais d'avance, je renonce à ma part pour lui céder, pour le combler. Ne me garde qu'une place sur ses genoux ; et son épaule où j'ai si souvent pleuré de tendresse, de gratitude et de bonheur, garde-la-moi !...

Lucien, mon amour, pardonne, si, avant de refermer ma main sur notre alliance, si avant de t'ouvrir tout entier mon cœur, mon souvenir s'est tourné pour la dernière fois, vers... l'Autre. C'est mon seul regret.

Maintenant que j'éprouve ce sens de l'immanente justice, je comprends qu'on puisse laisser la terre sans s'y cramponner. Tu m'as dit tant de fois : la justice, ici-bas, n'a qu'un défaut, elle est tardive ; mais tout se paie, et c'est sitôt fait de nous pour tout le bien qu'on a à faire...

Ta part est faite. Je continue la mienne. Nous avons compris ensemble tant de choses qui n'étaient qu'humaines pourtant, mais que nos yeux ont découvert dans les larmes.

Je continue. Tu m'as exonérée.

★ ★ ★

C'est vrai, Paul, je n'y avais pas pensé. Nous ne ferons que des restaurations sommaires chaque printemps, d'ici à ce que tu décides où nous habiterons. C'est pourtant bien attachant ce petit coin de terre : tu as grandi ici ; c'est ici que Lucien est mort… mais un village…

— Il n'y a rien ici pour mon avenir.

— Je comprends. Alors, un bureau à la ville…

— Où on lira, sur une plaque de cuivre, quelque chose par exemple comme : Danais et d'Auteuil, avocats. On commence comme ça, d'abord.

— Y as-tu pensé déjà, à Danais ?

— Je lui en ai même parlé, et c'est plus que de l'espoir que je tiens.

— Alors tu n'as pas choisi la moindre ville !

— Et pas le moindre maître non plus. Qu'est-ce qui te rend songeuse ?

— Rien. La ville, peut-être, c'est bien loin. Non. Une mère, devant son fils plus grand qu'elle, songe que son fils a grandi. C'est tout. Embrasse-moi.

— Tu ne vas pas pleurer quand je serai parti, hein ? ce sera bientôt fini mon université. Et puis, après, toujours ensemble.

Désormais, c'est à Lombreval que nous passerons l'été. Odette m'a remplacée dans le jardin, dans la villa, sur la grève où je ne suis plus retournée. Elle m'assure que tout est plus beau que ce que j'ai pu en garder de souvenir ; il y a de quoi : Odette y a passé d'abord sa lune de miel et ne l'a jamais oubliée. J'ai beau lui dire pour la taquiner : « c'est la première impression qui t'est restée », elle ne voit plus que Lombreval dès que le printemps bourgeonne.

Il n'en croira pas ses yeux, Paul, quand il verra ; quand il verra les anses où la rive dentelle, les bosquets, la terrasse, les buissons d'églantines et de roses sauvages... quand il verra les jardins et le balcon où l'on s'appuie, le soir...

⋆ ⋆ ⋆

On dirait qu'ils me guettent, les jours gris, depuis que je suis seule ; on dirait qu'ils s'embusquent à ma fenêtre pour grimacer dès que je relève le rideau : octobre ; mes glycines pendent sur le mur ; la tonnelle est striée de branchages ; sur le banc découvert, Lucien a laissé le souvenir de son dos fatigué ; le souvenir de cette main, qui, abandonnant le journal à moitié lu, se tendait vers moi quand je descendais l'allée.

Je vais d'une fenêtre à l'autre, d'une chambre à l'autre et je fais de la lumière sur le jour blafard. Je m'assieds où il s'est assis, Lucien ; j'ouvre des malles, les siennes, pour regarder ses habits et retrouver les plis que son corps y a laissés. Je referme ses malles en étouffant.

Sur la table de nuit : son épingle de cravate que je n'ose pas déplacer ; partout des objets qui lui furent intimes et qui sont maintenant sacrés. Je referme la lumière et m'en vais, le pas veule.

Son manteau sur la patère, je devrais l'enlever... et je laisse, éparpillé dans la maison, tout ce que sa main a touché, déposé, tout ce qui me rappelle ses habitudes. Jusqu'à ce que mes genoux fléchissent, je fais chaque jour ce pèlerinage.

Je ne veille plus au salon : il y a des souvenirs que l'on supporte en souffrant, parce qu'il y reste encore un peu de vie, mais, au salon, toujours cette vision de cierges qui brûlent…

★ ★ ★

Quand il flâne du crépuscule sur la grande route, je pars, sans savoir trop où je vais. C'est vrai que je ne vais nulle part, mais il me semble que je vais ailleurs. Pourtant, je ne veux pas m'éloigner ; ce sera bien assez, le jour où l'on fermera la maison.

Tête basse, le pas mal scandé, j'ai l'air de chercher d'autres pas sur les chemins. Je partirai un peu chaque jour, pour m'habituer à partir. Je flâne avec le crépuscule…

Un voyage ?… Quand on veut oublier on part en voyage : d'autres terres surgissent, d'autres beautés émeuvent, d'autres visages sourient ou nous ennuient, mais parce que c'est ailleurs, un peu de tout se renouvelle. Quand ce ne serait que parce que le soleil se lève, là, quand il se couche ici. Et Paul serait tranquille ; c'est un grand souci pour un fils comme Paul, de savoir qu'il a une mère qui pleure et qui s'endeuille ; il croira qu'ailleurs…

…On a déblayé l'avenue. Toutes les feuilles y étaient tombées. Et tout au bout de l'avenue, ma maison triste me regarde. Personne aux fenêtres. Pas une lumière qui dise : quelqu'un t'attend…

Pourquoi ai-je renvoyé ma bonne ?

Le même deuil pour rentrer comme pour sortir. Les murs sont attentifs et mes meubles ont l'air de faire la garde funèbre.

Il n'est pas revenu ?

C'est donc jamais qu'il ne reviendra ?

Jamais plus, murmure ma maison.

Alors, il est ailleurs, Lucien ; puisqu'il ne reviendra plus, je m'en irai ailleurs…

★ ★ ★

Odette m'écrit :

. . . .

…viens, ce sera très intime, je t'assure. Pas de fracas. C'est toujours très sérieux pour une jeune fille que son début…

…Solange sera mondaine, ça ne me déplaît pas. Lis, sans t'en formaliser, l'invitation qu'elle tient à t'envoyer à part. Cela ne veut pas tant dire pour nous. Je serai avec toi. Ton deuil est le mien.

Odette.

Monsieur et madame Henri Morel
recevront le 17, à huit heures, pour le début
de leur fille Solange.

Comme on vieillit ! Et pourtant, sur mon visage, pas tant que je le pensais.

★ ★ ★

Elle était radieuse, Odette, quand je l'aperçus à la gare. C'était voulu, cette gaieté, pour tourner le sujet pénible ; c'était un bel effort. Je sentais tout cela à tel point que je lui aidais ; j'aurais été humiliée de paraître abattue devant son courage.

Nous nous regardions nerveusement parfois, en pensant à la même chose. En même temps, nos yeux disaient : retardons autant que possible d'en causer, si tu veux.

Et nous parlions de tout, excepté de Lucien, son frère, mon époux. Et quand nous allions céder presque ensemble à ce besoin de dire, ce besoin de souffrir tout de suite, Odette paraissait subitement se souvenir de quelque chose à m'apprendre :

— Tu ne sais pas qui j'ai rencontré à Lombreval au moment d'en partir...

— ?

J'ai haussé les épaules. Je ne voulais pas me donner la peine de deviner.

— Cherche dans les habitués de jadis, les amis.

— Janin ? Faucher ?... Je ne vois pas.

— Et si je te disais Vader ?

— Jean Vader !

— Oui. Je voyais bien ce bonhomme depuis quelques saisons déjà...

— Vieilli, hein ?

— Trente-cinq ans environ, mais frais, mais bien.

— Il passe quarante. Comment l'as-tu rencontré ?

— Un bridge au chalet. Tu sais, la petite colonie de vacances, tout cela s'assemble où l'on prépare quelque chose : thé, bridge, soirée... Tiens Didi, on descend ; regarde Solange qui nous attend. Je t'assure qu'elle s'en donne du mal ; et pas sotte, tu sais...

Je souriais à leur gentillesse, à ce trémoussement, à ces attentions sympathiques, à cette crainte qu'elles avaient de me voir pleurer.

— Il n'est pas quatre heures, Didi, je t'installe ; refais-toi ; repose-toi, fais ce que tu voudras. Je reviendrai voir si tu fais ce que tu… veux faire !

Odette rit très clair. Ça vous enlève, et elle vient de rire. J'entends qu'elle me parle encore en descendant l'escalier, mais je ne comprends plus, elle rit.

Chère Odette, ce qu'elle s'en donne du mal, elle aussi, pour voir sourire tout le monde.

⋆ ⋆ ⋆

Nous prenons le thé en tête-à-tête dans la chambre jade, ma chambre.

— Qu'as-tu comme invités, Odette ?

— D'abord, toi. Ensuite, il y a une marge aux autres qui sont, dans tes connaissances, les Dumaine, les Bousquet, les Normand, le club de bridge, les parents d'Auteuil et Morel, puis, les amis de Solange. La réception sera très fermée…

— Normand viendra-t-il ?

— Non, il est parti en voyage ce matin. Madame et ses filles viendront.

— Odette, tu as lu le début de mesdemoiselles Normand ?

— Solange était du bal.

— Grand faste dans les mondanités, hein, leur début ?

— Des photos sans ménagement, mais du goût.

— Claire est plus jolie que Charlotte, trouves-tu, Odette ?

— Charlotte est plus expressive, tu verras, ce soir. Tu sais, elles avaient deux cents convives à l'heure du thé ! Le bal le plus éblouissant qui se soit vu ici. Magnifique !

— Magnifique !

— Et madame Normand patronne les œuvres.

— C'est un autre début. Le dernier. Dis donc, Odette, il t'a parlé, Jean Vader, là-bas ?

Et comme on fait une question sans importance, je m'allongeais languissamment sur le lit.

— Il n'a parlé que de toi. D'abord, il croyait que nous avions acheté ta villa : un truc de conversation pour apprendre et ton mariage, et ton veuvage et ton adresse que j'ai fini par lui donner. Il t'aimait, Didi.

— C'est du passé, et je ne me souviens que d'une chose dans le passé : c'est que Lucien m'aimait…

Nous avions trop tardé d'en parler. La pression des larmes était trop forte, le spasme trop comprimé. La tête enfouie dans l'oreiller, j'y étreignais mes sanglots. Odette essayait de parler et suffoquait. Quand j'ouvris les yeux, longtemps après, je vis ses mains d'abord : des mains tristes et résignées et pâles qui se découpaient sur le velours sombre du fauteuil. Je n'osais pas regarder ses traits. Des larmes s'écrasaient sans contrainte sur sa robe, tombant par groupes.

Et quand j'eus le courage de la regarder, je n'avais jamais vu douleur plus calme et plus consentante de souffrir.

Solange entre pour me dire à l'oreille que Paul sera de la fête : une permission en faveur de sa mère. Cela me paraît tout drôle ; et pourtant, dans la ville, une simple sortie… Est-ce bien pour moi ? je crains qu'il s'emballe pour Solange. Ah ! ces cousines trop jolies !

⋆ ⋆ ⋆

Dans les toilettes claires et chatoyantes du dîner, il y avait nos robes noires, celle d'Odette et la mienne : pas sévères, pourtant, mais qui semblaient toutes deux se parler sans cesse.

De la tête, je me souviens: que le bouquet de corsage de Solange était un poème, comme sa tête brune; je me souviens que la musique m'a fait mal tout à coup, que de grands rires fusaient autour de moi, m'obligeant à des sourires de convenance; frous-frous soyeux, silhouettes noires, parfums errants, bribes de conversations que je saisissais toute surprise et un peu honteuse, comme si je m'étais longtemps absentée; pourtant j'étais là toujours.

Je sais qu'on a dansé pendant que je m'attardais au boudoir avec les Corbin, les Dumaine et madame Normand.

Lorsque tout le monde fut lancé, la fête était parfaite et sobre. Odette m'apparut alors comme une châtelaine. Le groupe de jeunes était ravissant.

Paul accompagnait la débutante... parce que c'est sa cousine. Voyons, je me mets martel en tête pour rien du tout, moi. Il a été galant et ses attentions... partagées?

Sur ce doute j'ai voulu parler, comme il venait à moi. Mais j'ai été trop timide; j'ai dit:

— Paul, je pars en voyage. Content?

— Oui, tu en as besoin. Où vas-tu?

— Paris, Nice, Venise... Au juste, je ne sais pas.

Et puis... et puis, en somme, nous n'avons rien dit.

Odette me conseille aussi ce départ; elle sait les projets de Paul pour l'Étude Danais; mais Danais est de la ville, cela l'intéresse.

Quand même, je ne suis pas tranquille... Et je ne pourrais qu'embrouiller les choses si je poussais plus loin mes investigations.

Solange est bonne, gentille et intelligente; c'est étrange comme je n'aime pas le secret que je soupçonne; et pourquoi? Ce soupçon, à quoi ça tient-il?

⋆ ⋆ ⋆

Ça ne tient à rien, ce soupçon. Et puis si c'était vrai, eh! bien, ce sont deux victimes pareilles. Triste. J'ai besoin de me reposer.

Rentrée dans ma maison en deuil, pour faire quelque chose, je prends au sérieux ma détermination de partir.

Mes bagages, cela nécessite des courses, des va-et-vient: ce sont des distractions. J'ai demandé ma bonne, au cas où je reviendrais plus tôt que je ne pense... Au cas où je ne partirais pas.

Sur la cheminée, le portrait de Lucien me regarde; il a l'air de dire: c'est bien du tracas, reste donc.

Mes énergies s'affaissent.

— Madame est fatiguée?

C'est la voix frêle de Léonie qui fait du zèle depuis qu'elle est réinstallée.

— Non, je réfléchis. Je crois que je ne partirai pas.

— Allons, il ne faut pas céder à une dépression qui passera... Si j'avais l'argent de madame...

— Vous auriez autre chose avec; vous voyez.

— Je m'en vais mettre le couvert. Il y a une surprise dans le menu, ce soir!

Dans la pénombre du salon, les lueurs du foyer illuminent tout de fauves ricochets. Les traits de Lucien s'avivent... Je fixe ses lèvres pour avoir encore une fois l'illusion de les voir remuer.

Et cela devient une hantise, un cauchemar, dès que le jour tombe. Je reviens. Je m'assieds là comme une spirite. J'attends, évoquant jusqu'à la torture, tout ce qui fut nous.

Et le crépuscule flâne seul sur la grande route depuis quinze jours.

III

Je m'embarque demain, et plus que jamais, je ne veux pas partir. Mais Lucien est ailleurs. C'est ce qui m'a décidée. Ne raisonnons plus. Quand on a commencé à rêver, il ne faut pas si tôt se réveiller.

Jadis, les aventures auraient plu. Jadis j'étais Didi Lantagne qui faisait pâlir les hommes de désir et cambrait sa taille en les refusant. Fini cet orgueil de femme qui se plaisait à enlever à d'autres femmes leurs amants pour n'en faire que des adorateurs et les repousser.

Fini. Je pense déjà à la stèle funèbre qu'on m'élèvera au cimetière d'Auvray, à côté de Lucien. Déjà je ne suis plus que la veuve de Lucien d'Auteuil, âgée de trente-huit ans.

Didi Lantagne : c'est sombré sous les vagues de ma destinée. Il reste une femme qui voyage pour ne pas mourir d'ennui ; une femme dont les printemps pleurent quelque part, égarés à jamais ; une femme qui a oublié de se conserver coquette depuis la mort de son époux, et que seules l'ambition et la grâce pourraient racheter et renouveler.

Mais je me dois encore à la vie.

Il faut du courage pour être belle à trente-huit ans ! Pour lutter parmi les hommes, il faut être belle autant que forte : mon sourire, la confiance en moi-même, cette attitude contente et reposée qui a l'air de n'avoir jamais subi une défaite, j'ai tout cela.

On a moins de rides quand la lèvre est joyeuse ; les yeux sont plus clairs quand ils sourient ; mon nez est sauf et mes dents parfaites. Sur les plis de mon front, je fais des boucles éparses ; je teins mes cheveux.

Mon miroir est encore fier de moi.

Qu'est-ce que je pensais donc ?

À mon âge, on n'est pas fauchée, quand, en plus, la jambe est ferme et droite. Pas d'embonpoint. J'ai vieilli ? mais ça ne paraît plus. Et si ma taille penchait, c'est que je n'y pensais pas assez.

Voilà. Tu peux partir, Didi.

⋆ ⋆ ⋆

Le port. Mon paquebot a ses ponts tendus comme des courants qui attirent. Ses trois cheminées fument. Le soir descend sur la fumée. Un steward manœuvre devant moi mes malles blindées :

— Cabine 60, pont C. Bâbord. Ici madame.

Je n'ai paru à table que le lendemain soir. On m'avait accolé un vieil officier, une modiste allemande, et un Russe de la Croix-Rouge, le baron de je ne sais plus quoi, dont mon album d'autographes garde le nom.

Le baron se croyait espionné et ne se mêlait pas. La jeune modiste finit par dîner à la table du commandant ; un Hongrois le remplaça. Et par le même concours de circonstances, j'échouai moi-même ailleurs, ayant pour commensaux un Écossais, qui était le médecin de bord, une riche Canadienne qui me fut une amie, et un Irlandais. Ces deux derniers étaient des compagnons d'un après-midi au deck-tennis.

— On noue vite connaissance sur les bateaux, me dit le médecin, parce que c'est souvent la seule occasion qu'on a de se connaître un peu…

— Et que si l'on retarde, c'est déjà le temps de se quitter, ai-je répondu.

Nous avons fait ensemble la promenade sur le pont. J'ai dansé avec le vieil officier, ma première connaissance.

Ce second soir, la danse finie, j'ai regagné ma cabine. J'aurais toujours dû regagner ma cabine, la danse finie…

⋆ ⋆ ⋆

Madame Saint-Onge n'en revenait pas de la beauté des hortensias bleus qui fleurissaient la table. Je n'en avais moi-même jamais vu de si bleus. Du soir au matin, une touffe minuscule se fanait à ma ceinture ou dans mes cheveux.

— Vous savez, madame, que c'est une fleur fatale, me dit un soir le Hongrois aux belles dents, en me tendant ma cape.

— Fatale ? je devais, en répétant ce mot, avoir l'air terrifié.

— En mon pays, on n'offre jamais d'hortensias à la femme qu'on aime…

— Et pourquoi ?

— Parce qu'ils immunisent de l'Amour.

Croyant qu'il ne me voyait pas, en remontant au salon, j'ai écrasé sous mon pied la fleur maudite.

Il n'avait rien perdu de mon geste, et sur le palier supérieur, quand, avant qu'il tourne à droite et que j'aille à gauche, il m'a dit : au revoir… il se pencha sur la balustrade, regardant le bouquet méprisé.

Nos yeux se sont rencontrés. J'ai rougi et nous avons souri.

Pendant que je m'en allais vite, je sentais qu'il me regardait encore.

Un peu honteuse de cet instinct de femme que j'avais eu, je pensais : il faudra que je dise à mon fils d'offrir des hortensias à Solange Morel.

La vague fait des turquoises dans le lointain ; mais ces lamentos du vent à travers les cordages...

Je regarde à la proue s'enregistrer les distances. Le bercement est agréable, quand on enfonce un peu ; tellement agréable que je ne dors pas si bien, la nuit, quand le vent tombe tout à fait et que la marée s'amortit : habitude.

La mer me fait déjà des caprices.

— Qu'est-ce que vous faites là, vous ?

Et voilà qu'il rit, l'officier, parce que j'ai sursauté à sa voix grave et que je ne sais plus quoi dire.

— Vous n'aimeriez pas une chaise longue sur la dunette ?

J'ai répondu :

— Ce n'est pas permis.

— Mais si c'est le commandant qui l'offre. Si c'est chez lui ?

Je ne l'avais jamais vu en casquette et en redingote, le commandant. C'est avec lui que dîne la petite modiste allemande.

Et jusqu'au premier clairon du dîner, j'ai regardé, de l'horizon au zénith, poindre, poindre, les étoiles.

★ ★ ★

Le matin est entré tout clair par le hublot. Un matin impérial qui vous tire des draps et vous défend de vous rendormir.

J'avais oublié de fermer les rideaux. Un peu lasse, mais le vent frais, le salin, cela me réconfortera.

— Steward, une orangeade, des croissants et un café au lait.

Qu'est-ce que je porterai, ce matin ? Je m'habille en déjeunant, c'est plus vite fait. Et puis, j'ai besoin d'air. Vite. Vite.

— Si tôt levée ! C'est du progrès.

— Il y a de quoi : ce soleil !

Et Eugène Addy, l'homme aux belles dents, détourne sa promenade pour m'accompagner. Mais s'arrêtant :

— Vous venez peut-être rencontrer quelqu'un ?

— Je m'en défends.

— Suis-je indiscret ?

— Vous ne l'avez été qu'une fois : quand vous m'avez regardée écraser des hortensias.

— C'était charmant, voyons. J'ai voulu vous amuser par cette superstition... Et puis j'avais tellement envie de vous dire : madame, vous êtes la femme à qui je ne pourrais jamais offrir d'hortensias. C'est un compliment ? Que pensez-vous encore ?

Il attendait une réponse. J'ai répondu, évasive :

— Je ne pense plus, j'oublie... J'oublie entre autres choses qu'elle m'a rendue malade, *la bleue*, comme disent les matelots.

Dérouté, il me suivit :

— Voyez-vous, ce n'est que cela : si vous n'y aviez jamais pensé. Mais c'est bénin comme tous les *maux* de *cœur*, ça s'oublie, ça s'oublie...

— Vous en avez connu d'autres, monsieur Addy. Il y en a dont on...

Il ne me laissa pas finir :

— Il y en a de toutes sortes ; on croit toujours en mourir, mais on en revient toujours.

— Du mal de mer, oui.

— D'abord, le mal de mer, les médecins ont prouvé que ça n'existe pas : une marotte. Il y a le mal d'aimer…

Et j'insistai, cette fois.

— Qu'est-ce que vous en dites ?

— Quoique j'aie l'air de n'en rien penser, je pourrais vous raconter quelque chose qui vous prouverait tout au moins qu'il existe, celui-là, mais qu'il est curable.

— Racontez.

— Non. Un soir, plutôt dans une marche de digestion. On est moins ridicule quand la nuit jette partout son indolence et n'a pas l'air de nous regarder. Et puis, vous m'écouterez mieux… peut-être.

⋆ ⋆ ⋆

J'ai dit au monsieur qui devait raconter quelque chose :

— La nuit jette partout son indolence…

— Ah oui, c'est l'heure que j'avais choisie. Avouez, madame, qu'il serait difficile de trouver nuit plus belle.

— Je vois bien.

Et nous regardions.

La lune laissait traîner ses opales sur l'eau. Le froid sec avivait le ciel, avivait les yeux, les joues. L'orchestre jouait une ouverture brillante. Le thème n'en était que plus distinct, de loin, et l'harmonie, plus appréciable, d'être en sourdine.

Nous sentions tout cela.

J'ai répété :

— La nuit n'a pas l'air de nous regarder…

— Voici, madame, comment on guérit; j'ai aimé la femme qu'on n'épouse pas. J'étais libre, mais pauvre. Elle était ambitieuse, intelligente et jolie: on est encore plus pauvre devant une femme pareille. Et mon orgueil me faisait mal. Avec le peu d'argent que j'avais alors, je pouvais fonder un foyer, mais je n'osais le lui offrir, parce que j'adorais cette femme et que je ne pouvais pas la combler. L'aventure dura quelques mois...

Un silence que j'ai rompu:

— Elle vous a laissé?

— Non. Je me suis marié. Les mariages, ça ne s'explique pas, souvent. J'ai épousé une autre femme, peut-être pour me venger de celle qui me paraissait exigeante d'amour et d'argent. Le sort lui a donné un mari médiocre et de beaux enfants. J'ai fait fortune. Pendant dix ans, je n'ai travaillé, peiné, que pour éblouir l'amante: orgueil.

J'ai corrigé:

— Amour! monsieur.

Il reprit:

— J'ai voulu que ma femme portât des bijoux, des bijoux, du luxe, du luxe, pour faire pâlir d'envie l'autre: amour.

— Orgueil, cette fois, monsieur.

— Qu'importe, j'avais bien les deux, et tout s'est guéri à la fois. Mais j'ai aimé la femme qu'on n'épouse pas.

— Vous n'avez jamais tenté de la revoir?

— Oui, pour la plaindre, parce que la pitié blesse un cœur ambitieux. Elle m'a aimé trop tard, au moment où je la quittais. J'étais devenu sadique devant ses larmes. D'avoir assez souffert, je voulais voir souffrir. Ses sanglots, les soubresauts qui remuaient son corps, tout cela ancrait ma décision d'en finir pour la voir davantage se crisper. Je ne me serais jamais consolé qu'elle fût morte, et je sentais que désormais, ses malheurs seraient la rançon qu'elle devait payer à mon mariage malheureux.

— Ensuite, vous n'avez plus aimé ?

Eugène Addy sourit, hochant la tête comme pour chercher ; levant les mains, comme pour dire : « je crois bien que non », sans conviction...

Nous entrions au salon au rythme d'un tango.

J'ai dit :

— Rien de tout cela ne me prouve que le mal d'aimer soit curable. Disons que nous ne sommes ni l'un ni l'autre convaincus.

Et, s'éclatant de rire :

— Je n'en pense pas moins que vous.

Alors, nous attablant, il commanda du champagne.

Nous avons bu à la santé de l'Amour.

★ ★ ★

Ces deux derniers jours, je n'ai plus laissé aux mousses le temps de laver les ponts et de fourbir les cuivres. Et je voudrais maintenant voir durer cette traversée qui me fut un cauchemar en m'embarquant. Habitude... habitude.

On dirait que je porte des lierres autour de moi ; je veux du nouveau, mais je ne veux jamais tout à fait partir ; un charme s'établit entre mon cœur et les menus détails que mon œil a regardés ; dans l'atmosphère où j'ai respiré, un charme s'établit. Pour peu que cela dure, j'ai toujours de la peine à m'arracher d'où je me suis arrêtée. Ma sensibilité s'attache sur les routes suivies ; j'en laisse un peu partout, et il m'en reste toujours plus qu'il n'en faut pour que mon contentement soit une fois sans regrets.

Nous ancrerons cette nuit et descendrons demain.

Soir de spleen, sans cause déterminée. Pourtant, si je voulais bien savoir, est-ce que je ne trouverais pas pourquoi?

★ ★ ★

Le Havre: navires qui appareillent. Barques de pêcheurs, au loin. Échos de bruits et de voix mêlés.

La vague clapote et s'écrase sur la quille. Paysage anémique, sur les côtes. Le ciel a des lueurs fauves, dans le calme qu'il fait.

Un transbordeur accoste.

Installées dans l'autocar qui nous conduit à Paris, madame Saint-Onge fait quasi seule les frais de la conversation.

Comme dans les contes enchantés, tout se renouvelle, tout disparaît, les paysages et les figures. Comme dans les contes enchantés, même si tout finit merveilleux, la petite fée me laisse songeuse…

Je ne sais pas ce que je veux.

Il neigeait quand nous descendions à l'hôtel, et rien n'y paraît plus maintenant dans la rue. Je n'aime pas la neige qui n'ose demeurer, qui fait humides les boulevards, embué le ciel, brumeuses les vitres.

— Paris n'est beau qu'en mai. Je vous l'avais bien dit.

Rêveuse et décidée, mon amie répond comme si elle me parlait de très loin:

— Je le savais; mais je dois rester en France peut-être un mois: des parents à visiter en province et des amis ici. Vous aviez choisi Venise, allez, je vous y rejoindrai. Dans quinze jours si...

★ ★ ★

Azur fondant, frontons de marbre en dentelles, ville alanguie : Venise. On dirait que le soleil t'a préférée ; on dirait qu'un autre artiste a fait le bleu de ton ciel. Venise suggestive et brûlante. Ici, j'ai pu me fuir, parce que tu nous prends, nous affaiblis, nous enlaces, nous protèges et nous défends.

Somnolence des eaux ; volupté lourde de l'air.

Sur le soir suppliant, j'ai ouvert grande ma fenêtre. Gagnée à ton sortilège amoureux, je ne lutte déjà plus, Venise. J'ignorais ta puissance et ton vouloir et ta beauté. Plus de combat possible.

Que peut une femme faible et malheureuse à qui l'on offre et l'Oubli et l'Amour, ces deux sœurs de la Mort...

La mort ! qu'ai-je dit ?

Il y a quelques mois, j'enviais ces heureux qui, sous terre, sentent germer avant nous les blés et les roses et tous les printemps. J'aurais voulu être à chaque nouveau glas, la créature marquée pour un deuil nouveau. Il y a quelques mois...

Mais la vie a été plus forte que vous tous, mes désirs accablés. Et toi Lucien, qui m'as voulue joyeuse, qui m'as voulue heureuse, ne me reproche rien. C'est ton âme que je cherche dans une autre âme... Je m'étourdis.

Maintenant, je veux vivre, vivre, désespérément vivre...

★ ★ ★

Est-ce un pressentiment que j'eus l'autre jour ? Cette nouvelle...

Écrit de si loin, comme cela me paraît étranger la mort de madame Normand. Odette en est toute bouleversée dans sa lettre décousue et dans les détails qu'elle m'en donne.

Je pense plutôt aux jeunes filles, Claire et Charlotte : trop jeunes encore. Si subite, sa mort ! En y pensant bien, je suis plus touchée que je ne le croyais.

Allons, vais-je m'attendrir, moi, par le temps qu'il fait, après tout ce que j'ai gagné. Madame Normand est morte : excellente femme dont on m'a beaucoup parlé, que je n'aime pas, à qui je ne dois rien.

Morte. Les journaux lui feront des psaumes en style télégraphique ; toute une ville fera semblant de la pleurer. Mais elle est morte, madame Normand. En résumé : un veuvage de plus, qui durera ce que durent les veuvages...

J'y repenserai plus tard. Il est riche, Jules Normand. Très riche...

⋆ ⋆ ⋆

L'entêtement d'Addy qui me poursuit depuis mon départ, empoisonne ma quiétude.

Comment un homme intelligent peut-il supposer qu'une femme sous l'obsession d'un deuil comme le mien puisse rompre avec la pensée d'un cher disparu, et tout entière se fondre à la chaleur d'un nouvel amour ?...

Je ne trompe pas Lucien en m'intéressant à Addy ; mais comme il est attachant, Addy, et comme c'est impossible de céder, quand la chair, le cœur, l'âme de l'homme que j'aime encore semblent me reprocher la moindre attention en dehors de ce qui est lui… Lui, couché à jamais au cimetière d'Auvray, et dont les larmes peut-être mouillent le blanc linceul…

Mon Lucien!… Je vois bien qu'Addy ressemble trop à l'Autre… Il a ses attitudes et ses paroles; j'y retrouve ses intonations parfois. Mensonge! Il a dit: «je vous adore»… Il a dit: «je voudrais vous rendre heureuse.» Mensonge. L'Autre m'a dit cela. Je ne peux plus les entendre, ces pâmoisons. J'ai mal.

J'ai beau lui dire: laissez-moi guérir, et si plus tard, vous vous ressouvenez que vous m'aimiez…

Pourtant, sa présence m'avive. Je ne veux pas céder. La passion qu'il m'exprime me rend fautive vis-à-vis de moi-même. J'ai honte de la chaleur de sa main… parce que Lucien dit me regarder…

Pourquoi, Eugène Addy, êtes-vous passé dans ma vie comme un tourbillon qu'il faut combattre, quand je cherchais la paix et la quiétude du cœur, quand j'allais ailleurs endormir mes sens de femme que plus rien ne devait affoler… Pourquoi m'avez-vous éveillée?

Il est temps encore de me sauver d'une catastrophe, mais je n'ai pas le courage de dire: va-t-en…

Au moins, que ma résistance vaillante me justifie.

Ah! ces hommes trop beaux et trop forts, et trop doux, habitués aux conquêtes faciles…

…Et ces gondoles, cette musique qui vient je ne sais d'où, qui semble sourdre ou tomber…

Comment résister à ce philtre?

Deux mois déjà. Il fait nuit. Sur la lagune, des attroupements joyeux. Les gondoles ont l'air de feux aériens qui descendent au ras de l'eau.

Et toujours cette musique sournoise qui glisse sous la peau. Notes que l'écho prolonge. Silences savants où l'on n'ose respirer. Sinuosité perfide des sons.

Il y a des soirs où je veux sortir toute seule, regarder toute seule, vivre toute seule. J'en avise Addy à la dernière minute.

C'est ce que j'ai fait.

Je ne me sens pas malheureuse. La solitude me détend et me rassérène. Il attend mon invitation.

Mon gondolier m'a baladée sur le Grand Canal ; j'ai voulu me rendre au Lido : la terrasse du palazzo, son jardin intérieur, le dancing, l'animation des Vénitiens mêlée à l'animation cosmopolite, voilà quelque chose de divertissant.

À peine rentrée : une lettre urgente qu'on me remet : un billet d'Addy :

Madame, je ne vous verrai plus, et vous me regretterez peut-être... moi, sûrement.

L'affinité de nos âmes, de nos sens, vous l'avez comprise.

Je pars sans baiser votre petite main toujours refusée. Vous ne m'auriez peut-être accordé que ce geste, ce témoignage : c'était trop peu.

Je pars triste d'une défaite où je ne perds pas tout seul. Des préjugés vous éloignent de l'amour, mais ces préjugés que vous servez ne vous donneront jamais en récompense ce que pour votre conquête j'eusse fait de grand et d'impossible pour vous.

Je vous aime. Adieu. Je suis parti, déjà...

Eugène Addy.

⋆ ⋆ ⋆

Quand on est amoureuse, on n'échappe pas au destin. L'on s'attache, l'on résiste ou l'on se donne, mais quoi qu'on fasse, on souffre…

Quand on n'est qu'une amoureuse, toutes les routes sont fatales, tous les carrefours dangereux, tous les chemins glissants…

Addy, vous ne saurez jamais le désespoir qui me reste dans l'âme d'avoir gagné cette bataille.

Je raisonnais ainsi quand le téléphone sonna. J'ai pensé : il n'est pas parti.

La voix chantante et glorieuse de madame Saint-Onge…

Elle vient. J'ai besoin qu'elle vienne… j'étouffe.

— Ah ! par exemple, vous pleurez ! s'exclame mon amie en entrant.

Pour toute réponse, je raconte, je raconte. Je vois qu'elle lit avec quelque tendresse le billet d'Addy que j'ai trempé de larmes. Puis, se redressant, belle, sans méchanceté, mais avec une coquetterie innée de femme galante qui ne souffre pas :

— Eh ! bien, ma chère, vous vous êtes trompée. On ne laisse pas un homme nous quitter… il faut l'abandonner. C'est une volupté qui ne rate pas son effet. On peut jouer à l'amour par des paroles, des mots, des attitudes. Vous, vous ne voulez pas jouer : c'est de la servitude !

— Et qu'auriez-vous fait à ma place, ai-je demandé, comme pour me consoler d'avoir mieux agi…

Madame Saint-Onge enleva son chapeau d'un geste déluré et charmant. De son sac à main, elle tira une lettre… Le parfum de ces menus objets était discret et troublant ; il révélait toute la femme.

— Ce que j'aurais fait, moi ? demandez-moi donc plutôt ce que j'ai fait… Mais oui, puisque mon aventure à Paris, pour avoir commencé comme la vôtre, s'est terminée tout autrement : il y a deux jours, je recevais ce mot ; lisez :

Comme c'est douloureusement tendre de vous attendre...

Jean Vader.

Pour le coup, j'étais aussi intriguée que surprise. Dans l'anxiété de tout savoir j'interrompis banalement :

— D'où vient-il, celui-là ?

— C'est un Canadien... pas mal de sa personne... intéressant ; vous savez, de ces silencieux...

Ah ! tout savoir ce dont Jean était capable... Le cœur m'avait déjà battu pour lui.

— Et puis, en réponse au billet ? ai-je insisté en dissimulant mal mon intérêt sous de la curiosité.

— En réponse, j'ai écrit :

« Adieu, je n'ai jamais pu savoir si je vous aimais. »

Je suis partie et me voici. J'allais l'aimer cet homme-là. On prévient l'amour comme une maladie.

Lui, Vader, il pensera : une fugue. Non. Il ne comprendra pas. S'il dit : elle a joué à l'amour, c'est tout à fait cela.

Je voulais voir si son désir s'exaspérerait pour moi. Je voulais voir si quelque chose survivait de ce qui faisait mon orgueil, ma gloire, mon ambition de femme, jadis.

Vader a fait ce qu'un amoureux peut faire d'impossible pour la femme qui résiste. J'ai résisté. De quelque façon qu'il envisage notre aventure, il n'en tirera pas de gloire.

Il m'a poursuivie. J'en étais flattée. J'ai gardé de distance, juste ce qu'il fallait pour qu'il ne me rejoigne jamais tout à fait, et qu'il espère toujours. J'ai vu ses yeux fous de passion, ses mains suppliantes et tendres, l'oppression mâle de sa poitrine, son entêtement pitoyable.

Il a effleuré mes bras, mon cou, ma bouche.

Je commençais à souffrir. Elle continua : « Sur le point de céder à cet amollissement des sens, je songeais à la vantardise qui lui avait échappé, un jour : nous causions de sa vie et de la mienne, à la terrasse d'un café. Il avait le vin joyeux, présomptueux aussi. Il disait :

— Ainsi, vous voyagez pour vous fuir ; mais en fuyant, craignez de tomber !

Et, qui sait si je ne serais pas tombée, sans cette crânerie d'homme trop assuré de sa virilité et de sa séduction. Il m'a sauvée en voulant me perdre. Les mots ont tourné à l'envers, de mon oreille à mon cerveau.

Non, à mon âge, une femme ne cherche pas l'aventure. Ce n'est pas la peine non plus qu'on l'aime d'un vouloir honnête : on fait cela dans les salons, pour des cheveux blancs ; on voue cette ardeur à une débutante.

Ce qu'une femme veut, à trente-huit ans, c'est l'assurance de n'être pas une vieille devant laquelle la jeunesse n'ose s'embrasser ; ce qu'elle veut, c'est le compliment d'un regard mâle qui la suive et qui se trouble si elle s'arrête ; c'est la confiance en elle-même.

J'en avais besoin. Pour cela, il fallait qu'un homme bien mis, capable de gagner la faveur des plus belles, me fût attentif, me poursuive et sans se lasser délirât sur mes lèvres refusées.

C'est fait. C'est fini. Je ne doute plus.

Et vous doutez encore, Didi ? Didi, vous n'êtes qu'une amoureuse... »

Alors, j'ai haï cette femme pour la frivolité de ses gestes... son assurance ; je l'ai haïe pour Jean Vader.

Madame Saint-Onge se rendit compte de mon intérêt et de mon mépris :

— Vous n'êtes qu'une amoureuse, Didi, et tout ce que je viens de vous raconter est un peu méchant...

— Et pourquoi ? lui dis-je, un peu perdue et la voix blanche.

— C'est que je sais maintenant que vous avez aimé Vader, et que surtout, il vous aime encore. J'ai voulu voir la réaction de votre âme... Vader m'a tout conté... Je n'ai été que sa confidente, une amie de passage rencontrée dans un dancing à Paris. La vérité c'est que je l'aimais bien... Quand je lui ai dit que je devais vous rencontrer ici, il a sursauté en entendant votre nom. Alors, des questions. J'ai dit tout ce que je savais de vous. J'ai vu que dès ce moment, je ne l'intéressais déjà plus. Une certaine amertume m'est restée là. Je vous ai fait souffrir. Pourtant, j'avais décidé de vous parler sans envie et sans jalousie, voyez : moi-même, j'ai souffert, mais j'ai le cœur suri, moi...

Elle essuya une larme.

— Ce n'est rien, lui dis-je en allant vers elle. J'ai oublié Jean Vader, allez !

— Écoutez, ne racontez jamais à Jean cette histoire bête d'aventure que j'ai imaginée et dans laquelle perce mon dépit. Il ne m'a pas aimée. Le billet que vous tenez, je l'ai écrit de ma main... Je l'aimais, moi...

— Soyez tranquille, je ne le reverrai jamais.

— Vous le verrez dans un instant. Il le veut. Il croit que je suis entrée ici que pour l'annoncer. Adieu Didi !

Madame Saint-Onge ouvre la porte: Vader apparaît au seuil, attendant un mot.

— Jean!

Et j'hésitais:

Il m'a connue jeune... quelle impression puis-je lui faire?

Des convenances d'abord. Des excuses, de sa part. Il m'ahurissait. Et c'était pourtant impossible de redevenir tout de suite les amis d'autrefois. Près de seize ans sans s'être vus et en de telles circonstances.

Le jour était bon: j'ai suggéré une sortie sur la terrasse. Il me suivit.

Peu à peu, je le sentais s'acclimater à mon visage, à ma voix.

Il parla de souvenirs, de sa vie, de ses ennuis de célibataire. Discrètement, il tira de son carnet une toute petite chose. Puis il souriait.

— Qu'est-ce que c'est que ça?

— Un petit morceau de chiffon blanc; vous vous souvenez d'un chapeau que vous aviez, avec un *suivez-moi* qui bordait votre cou et s'échappait au vent... quand nous allions à la Pointe, à Lombreval?

Je me suis souvenue.

À brûle-pourpoint, il me demanda:

— Ainsi, vous aviez épousé un veuf, Didi?

— Qui vous a dit cela?

— Personne. Madame Saint-Onge m'a dit que vous aviez un fils de vingt et un ans. J'ai deviné.

À quoi bon mentir, maintenant.

— Non, Paul est mon fils. C'est un aveu pour vous seul, Jean. C'est encore un secret. Jurez-moi de le garder.

Et Jean baissa tristement la tête pour dire:

— Je comprends… Je comprends tout aujourd'hui : votre lettre d'adieu…

— C'était cela.

— Et vous m'aimiez ?

— Oui, Jean.

— Vous ne m'avez pas assez aimé, Didi.

— Vous non plus.

— Il fallait tout me dire.

— Je n'en ai pas eu le courage, et vous ne m'avez pas aidée.

Ses yeux suppliaient :

— Trop tard, maintenant ?

— Trop tard.

Sur les traits de Vader, vieilli, mais plus beau d'être plus mâle, je vis la résignation étendre son calme souffrant.

D'avoir jadis tant souffert de son innocence et de ma faute ; de l'avoir tant aimé, quelque chose pleurait en moi.

Comme jadis je me l'étais juré de courir à lui s'il souffrait, je le retins à quelques pas de la rue :

— Jean, je suis l'amie des mauvais jours. Quand vous aurez le pas léger, l'âme contente, ne venez pas. Mais ne pleurez pas tout seul ; venez, appelez-moi. Je suis l'amie des jours d'orage.

Et je l'embrassai comme il m'embrassait autrefois, sans passion.

— Dites, Didi, je vous reverrai souvent ? Si je retournais avec vous à Paris ? Avec vous au Canada ? Camaraderie seulement… sans vous importuner de… mon amour ?

— Je le veux bien, Jean. Revenez. Au revoir !

⋆ ⋆ ⋆

Dans cet état d'âme, résignée et douce, de Venise à Capri, de Naples à Venise, j'ai attendu que mai verdisse les boulevards de Paris, et que les petites fleuristes parisiennes viennent étaler dans les rues ensoleillées leurs bottes de muguets.

Je suis redevenue sereine, apaisée, sans être satisfaite. Régulière dans mes levers et mes couchers pour me conserver ce que j'étais encore.

Je n'ai jamais senti, à tel point, si peu de souci pour l'argent, m'accordant tout, comme si j'avais le privilège de dénouer à mon gré la bourse d'un amant fortuné : dépenses vaniteuses dont je ris toute seule, pour le contentement juvénile et coquet que j'en éprouve. Lucien habite encore dans mon cœur. Lucien me remercie de l'avoir gardé.

L'avenir sourit de loin ; je vois là-bas, bien loin, la maison que j'habiterai avec mon fils. Mon imagination drape des tentures que je viens d'acheter ; je dispose des gobelins, des gouaches, des marbres. Dans ma tête, je meuble mon *Château d'Espagne*... Mes amis disent : « Pas la moindre erreur de goût dans votre garde-robe. »

Les spectacles les plus classiques, les plus modernes, les plus affriolants, les plus osés, remplissent mes soirées. Mais Jean est le camarade tranquille qui aime me voir rire ou pleurer. Il s'intéresse tant à moi par ses regards, ses galanteries et ses bons sourires.

Je n'ai jamais aimé, dans le sens mondain du mot, la société des femmes ; mes secrets ont eu cet antagonisme pour gardien. Me trouvant bien servie par ce procédé, je me demande pourquoi je me suis confiée à madame Saint-Onge. Une faiblesse...

C'est bien cela : « Du muguet, madame ; quatre sous la botte ? » C'est-à-dire que c'est mai, que c'est Paris.

Je devais, dès mon arrivée, une lettre à mon fils ; j'ai déjà bien tardé.

Jean me laisse si peu.

— C'est décidé, j'écris à mon fils, je vous rejoindrai au hall.

Mon Paul,

Ce que c'est que Paris : un éblouissement d'abord ; puis on voit une ville, mais quelle ville ! avec tant de passé que la vénération vous touche du doigt ; insensiblement, sans que s'éloigne cette première impression, sans bien comprendre pourquoi, on subit le charme, on en vient à aimer ce bruit que fait la circulation intense ; on respire où l'on croyait d'abord étouffer. Et le philtre fait son chemin intimement dans l'être.

On aime Paris pour ce qu'il a d'insupportable, d'abord ; on s'apaise tout seul au milieu de cette trépidation qui ne cesse jamais ; on va avec le tourbillon qu'elle fait.

Pourtant, on s'en éloigne un jour pour la banlieue coquette, fleurie, tranquille ; on va goûter ce repos de ne rien entendre et voir un pan de nature où ne va pas la foule ; mais sitôt que le soir vient, Paris appelle de loin, Paris appelle toujours : c'est la charmeuse qui sourit sans cesse à ceux qui l'ont aimée.

Mais tu serais jaloux, Paul, si tu savais d'où je viens, sur l'heure ; d'un quartier que tu aimerais : c'est un recoin de Paris, dissimulé, on dirait, par le vallon qui le garde ; quand on y entre, on croit chaque fois le découvrir ; un recoin pauvre, populacier, farouche. Nulle voiture n'y passe que les rou-

lottes poussées à bras, chargées de marchandises rococo. Les étalages débordent les trottoirs qu'ils accaparent ; le commerce est dans la rue aux carrefours, à travers la foule qui y circule, zigzagante ; vendeurs, clients, promeneurs, habitués, tout se confond ; au seuil des portes, devant vous, derrière vous, autour de vous, le marchand, la marchande crient, offrent, sollicitent.

C'est le quartier Mouffetard avec son nom qui lui ressemble, on dirait ; c'est là que le bourgeois est mal vu, qu'on le dédaigne ; là que le peuple discerne vite le regard curieux et mesquin qui l'examine de trop près, là qu'est la cohue des gens libres qui n'entendent pas se mêler, qui tiennent brutalement à leurs mœurs de gueux.

Je vais le revoir souvent, ce quartier-là, il est ouvert, typique comme la figure de ses gens ; il sent la misère, toutes les misères, à travers le relent de ses épiceries au soleil. Je l'aime pour ce que je lis de douloureux, de révolté, d'inquiet, de franc et de sournois, sur ses visages.

Partout ailleurs, dans ce Paris aux faces diverses, ce Paris multiplié, il y a de l'ordre, du bien-mis, du luxe, de l'art, mais quel caractère inattendu, misérable, prenant, dans ce quartier Mouffetard. Je revois pêle-mêle ces antiquailles, ramassis de toutes sortes, encombrant les ruelles ; cette poussière, ce soleil et cette giboulée parisienne s'abattant à leur tour sur tout cela ; et les bagarres ouvertes, où chacun prend le droit de se faire justice ; et les buvettes repoussantes ; et les enfants loqueteux, pieds nus sur des pavés lisses à force d'être vieux. Mœurs rudes, vie sans camouflage, sans chiqué, vie qui n'a pas honte de se montrer telle qu'elle est : vérité du quartier Mouffetard.

Pourquoi te parler de cela avant les éblouissantes choses. C'est que Paris ne nous retient pas seulement par sa splendeur, mais peut-être plus par des souvenirs insignifiants en apparence qui sont légion, et qui forment autour de notre cœur autant de liens discrets et fragiles… Ces riens : c'est un geste mille fois vu, une expression, quelque chose qui a ennuyé d'abord, et qui nous manque dès que nous ne l'avons plus ; c'est une chanson qu'on a respirée dans l'air, car Paris, c'est la ville de la chanson ; on chante partout, gai ou triste, on chante !

Écoute cette frêle harmonie en mineur que j'ai entendue dans une boîte de Montmartre et qui ne me laisse plus. Il est tout simple, le thème ; vois le geste :

Prenez mes roses,
Prenez mes fleurs,
Elles sont écloses
Près de mon cœur ;
Messieurs, mesdames,
Fleurissez-vous,
Achetez leur âme
Pour quelques sous.

Et voilà que ce poème, que cet air souriant et triste comme la fleuriste, me transporte dans la demi-lumière d'une soirée ; l'orchestre roumain joue en sourdine… et je te parle de cela pour le revivre.

Au revoir, mon Paul, je reviens bientôt. Sois bon. Je t'embrasse.

Ta mère.

⋆ ⋆ ⋆

Un soir qui ne ressemble en rien aux autres soirs que j'ai vécus depuis six mois.

De moi-même, plus rien ne m'inquiète : je viens de gagner l'une des dernières batailles, à l'âge où d'ordinaire une femme ne lutte plus.

Je ne me suis pas assez occupée de mon fils depuis mon absence. Il est vrai que je partais en voyage pour éviter de faire des bêtises : je voulais que Paul ne revoie plus Solange. Et pourquoi ?... Je soupçonne...

J'ai failli en faire d'autres bêtises, cependant, et pas des moindres. Mais si j'avais par là donné à Paul l'occasion d'accomplir ce que ma sagesse a évité !

L'hérédité... Il est bien temps que j'y songe à l'hérédité de mon fils. Lui, ce n'est pas sa faute, mais ce n'est pas une raison non plus pour laisser aller la galère. On a vu de ça des escapades d'étudiants ; entre quatre murs, oui, mais on en sort plus fougueux d'y être retenu.

Et avec une nature pareille : joli, bien fait ; de quoi faire du luxe ; il a tout pour lui et tout contre lui. Et la cousine Solange ?

Que puis-je faire avant mon retour ? J'arriverai à la fermeture des cours, il sera là. Je le garderai. Il voudra partir, je le retiendrai ; il voudra se perdre ; je le sauverai.

Libre, serait-il pire ? Il m'a coûté si cher d'honneur, de sacrifices, cet enfant ; cet homme déjà... Je suis inquiète.

⋆ ⋆ ⋆

C'est ce que je ne pouvais pas supposer, et j'en suis ravie ! Non... quelque chose est incertain dans ma joie.

Paul m'apprend par câble qu'il entrera en septembre à l'Étude Danais-Normand : un événement que cette société d'affaires ! Un autre événement qui me touche de plus près, c'est que Paul ait eu cette aubaine : un début pratique, comme clerc, avec de tels maîtres. Une aubaine ? C'est le dénouement de l'affaire qui le dira...

D'autres horizons s'ouvrent déjà, que j'espérais bien plus tard. Comme cela me presse de partir ; comme cela me fait un besoin de rentrer chez moi, de savoir davantage, d'apprendre davantage.

Cette ambition qu'a mon fils, il faut la diriger. On exploite tant de jeunes talents. Avec cela qu'il est enthousiaste, Paul, et qu'il veut arriver. Comment se dénouera cette histoire ? comment a-t-elle commencé ? Autant de *je ne sais pas* qui me passionnent, me font heureuse et songeuse.

Il grandit, mon fils ! En moins de deux ans, il aura sa licence en droit. C'est là que tout mon avenir s'arrange. Il m'est si attaché pour ce qu'il connaît de mes malheurs. S'il savait tout !...

Je suis plus que sa mère. Mon petit Paul de jadis, que j'allais consoler chez les Toussaint, pour des jouets volés... mon petit Paul à qui les gamins demandaient alors : « de qui c'est que t'es le fils, toi ? » Il a grandi pour me consoler en retour. C'est lui maintenant, qui me fait rêver, lui qui m'a dit en partant : « tu sais, après mon université... toujours ensemble. »

Toujours ensemble. De jour en jour, le rêve prend des formes. Le temps fait de grandes choses quand on sait l'attendre. Pour cela, il faut être sage, sage comme les petits à qui l'on promet des récompenses, si... Il faut être sage et ne pas énerver la main lente et sûre qui travaille pour notre bien.

Le temps fait de grandes choses en ayant l'air de s'attarder à de menus détails. Puis, un jour, les petites pièces s'alignent. Ne touchez à rien. Laissez. Le temps travaille...

Et comme c'est long d'attendre, je m'en retourne à la maison.

Je serai bien sage.

★ ★ ★

Il y a des questions auxquelles la vie seule peut répondre; et ces questions se pressent de mon cœur de mère à mon cerveau de femme. Mon intuition n'y voit rien.

Depuis une semaine, je vis malgré moi dans un avenir qui vient avant son heure. Pourtant, je suis sage, sage comme les petits qui s'énervent dans leurs lits la veille de Noël, et qui font semblant de fermer les yeux.

Je sais que la vie me prépare quelque chose de pas quotidien. J'attends. Le bonheur qu'on attend n'est jamais ordinaire, jamais commun.

Je ne sais rien autre chose: que la roue du temps tourne; que des jours malheureux s'engouffrent plus à fond; que les nuages se dissipent; que chaque jour, chaque heure, chaque minute me rapproche de mon fils, de ma maison, de mon destin.

Je sais, en me couchant, le soir, que le soleil se lève lentement, de bien loin, et que, sans que je m'en mêle, demain il sera là, clair à ma fenêtre.

J'ai confiance.

★ ★ ★

Un jour de moins à la peine, c'est un jour de moins, une unité rayée. Un pas. Le but, lui, reste à sa place; la vision en devient plus détaillée. Je penserai à autre chose tandis que ces unités défileront.

Ce qu'il y a de consolant, dans l'attente, c'est de savoir que les jours tombés sont tombés à jamais, en compensation des jours heureux qu'on n'a pas le temps de compter. Tout est bien. L'important, c'est de ne pas regretter et d'aller comme je vais, sans jamais me retourner: un idéal en face; les yeux fixés dessus; du courage pour l'atteindre, du cœur pour l'aimer.

Ce qui fit mon désespoir, jadis, fait ma joie, ma raison de vivre.

Il ne faut pas vieillir. Il ne faut jamais vieillir.

Si ma jeunesse a été vaincue, la victoire n'en est que plus belle, plus tard… et plus il sera tard!

Mon fils fera mon orgueil; mon fils aura mon courage.

L'avenir danse devant mes yeux, avec des lauriers, des lauriers…

⋆ ⋆ ⋆

Paul m'attend. Encore deux jours en mer. Demain, il n'y aura plus qu'un jour; puis quelques heures; alors, je verrai de loin la terre de mon pays; ensuite, des maisons; le port tout embrouillé encore. Des gens que je ne distinguerai pas tout de suite, sur le quai. Mon fils sera là, parmi eux tous. Je verrai sa main levée parmi d'autres mains qui ne seront plus rien pour moi quand j'aurai reconnu Paul. Le cœur me bat. Ces dernières minutes, le paquebot fera des soubresauts d'accostage. Je me hâterai vers la passerelle qu'on n'aura pas encore tendue. Nous serons face à face, sans nous parler.

Je souris et je pleure de vivre tout cela à l'avance. J'ai peur d'être trop heureuse en le revoyant. Puis, la passerelle franchie... ah! la passerelle franchie...

— Vous rêveriez mieux en dormant, Didi...

— Ah! oui, Jean! dormir en essayant de fermer les yeux, comme si j'avais sommeil.

La mer s'embrume. Je suis lasse, lasse de tout l'espoir que je porte... Demain, il n'y aura plus qu'un jour entre Paul et moi... demain...

* * *

Je pense à quelque chose d'étrange, Jean. Je pense à mon vieil oncle qui m'a légué ses biens.

— Et qu'est-ce qu'il y a d'étrange?

— Figure âpre, farouche, brutale, mon oncle Anthime. Tout le monde avait peur de cette volonté tenace: pas méchant, mais la voix dure, brève. Il faisait souffrir, par cette attitude. Et si bon, si doux, pour ceux qui l'aimaient. C'était l'homme primitif, capable de toutes les hardiesses, par la force et le courage; le primitif dolent et faible seulement devant la femme conquise: sa femme, quand elle avait pleuré.

Comme les autres, je l'ai craint; mais quand je vis ce qu'il était, je courus à lui. Ma petite sœur le fuyait. Devenu veuf, alors que j'étais encore enfant, il s'attacha à ma tendresse confiante. Il fut mon sauveur, plus tard.

Je le compare, et c'est cela qui est quelque chose d'étrange:

— Vous le comparez à quoi?

— Il ressemblait à la vie, mon oncle Anthime. Pas méchante, la vie, mais âpre, mais brutale, et bonne souvent. Il ne faut pas en avoir peur, pas plus que de mon oncle. Il faut la prendre telle qu'elle est.

— Comme votre oncle, alors ; et, à la fin, elle est douce à ceux qui l'aiment et à qui elle a fait de la peine. N'est-ce pas ?...

— Je l'aime tant ! Je sens qu'elle fait pour moi ce que mon oncle a fait. J'attends.

— Et moi aussi, Didi, j'attends...

⋆ ⋆ ⋆

Alors, on se quitte. Adieu ou au revoir ?

— Au revoir, Jean. Ignorez-moi quand nous serons devant mon fils. Au revoir. Merci, je prendrai voiture seule. C'est mieux ainsi.

— Alors, à Lombreval ?

— À Lombreval. Ne soyez pas triste.

— Vous paraissez si heureuse !

— C'est mon fils que je vais revoir tantôt.

— Un baiser, Didi ?

— On tend les passerelles...

IV

AINSI, PAUL, CHOISIS : tu sais que je veux passer quelques mois à Lombreval, que je n'irai pas sans toi, que je sacrifierais ce plaisir pour ton succès, mais tu veux demeurer à la ville par caprice, puisque tu n'entres à l'École qu'en septembre...

— Tu me laisseras revenir chaque fin de semaine ?

— Peut-être pas, voyons, mais souvent. Qu'est-ce qui te retient ?

— Le club ; mes amis. Mais ne sacrifie rien, j'irai.

— Tes amis viendront, Paul. Tu ne sais pas ce que c'est que Lombreval !

— Partons, c'est entendu. Ne te fais pas de peine.

— Regarde-moi, Paul, il y a quelqu'un que tu ne peux pas...

— Allons, faisons les bagages et parlons de Lombreval ; le Lombreval de ma tante Odette et de maman d'Auteuil... Ah ! que c'est laid des mamans soupçonneuses.

Paul rit, m'embrasse et me taquine :

— Je suis content de partir avec toi. Je te le prouverai en ne revenant à la ville qu'après un mois. Tu décideras, tiens... Ça va ?

Il ne sait plus que faire pour que je sourie et c'est cela qui ne me rassure pas.

Je crois que je n'ai pas été sage en parlant ainsi, et j'en suis toute triste.

Nous partons.

Plus joyeux que Paul, que moi-même, car je me dissimule ; plus joyeux que nous deux, il y a Léonie, ma bonne.

★ ★ ★

— Tiens, regarde-moi ce sable, Paul. Laisse filtrer entre tes doigts... hein ? qu'est-ce que je te disais ?

Et Paul, ébahi :

— On dirait qu'il reste du soleil parmi les grains. Et la baie ! et la mer ! et la montagne ! Mais je ne savais pas, moi. Il y en a trop pour nous deux, mère, de tant de beautés. Il faudra partager.

— C'est cela, invite, mais reste-moi. Va voir les bosquets.

Ma faiblesse, ici, c'est le jardin : mes asters tournent le dos aux tulipes ; c'est depuis toujours.

Mes iris violets s'appuient à ma fenêtre attendant que j'ouvre. Mes sensitives se ferment comme des yeux qu'on approche du doigt.

Je vous aime toujours, mes fleurs : phlox qui riez ; iris toujours tristes ; asters et tulipes qui vous boudez ; sensitives qui craignez mes mains caressantes...

La bonne a tendu le hamac du chêne au bouleau. Sur la terrasse : la table, des bancs ; de la verdure jeune pour tapis.

Les tilleuls font des arches ; à travers les branches : un peu de ciel. La mer à droite, bleue, immense jusqu'à l'horizon du même bleu, comme si la vague y montait, ou comme si l'horizon déteignait dans l'eau.

Paul va, vient, rigole, se repose, lit, s'endort sur la plage.

Il ne sait pas le bien qu'il me fait de le voir vivre ainsi.

Je le regarde…

Puis, ce sont les courses sur les galets ; la cueillette des moules dans les sables, à marée basse ; le bain joyeux, trépidant ou oisif selon la vague, selon le vent.

J'arrive d'une promenade sur la dune.

Quand je pars le soir toute seule, je ne vais pas ailleurs.

— Voici, madame.

Et Léonie me tend une carte. Elle hésite à parler :

— Ce monsieur a eu l'air étrange pour dire : madame d'Auteuil habite-t-elle ici ?

— Doit-il revenir ?

— Il n'a rien dit, madame.

Alors, j'ai pris nonchalamment une revue qui traînait sur la table ; j'ai remué distraitement des fleurs dans un vase ; j'ai regardé la mer sans la voir et je me rendis compte, soudain, que j'avais pensé à Jean Vader pendant assez longtemps.

Puis je me retirai, par besoin d'être seule.

Je pouvais avoir été dans ma chambre une demi-heure, quand j'entendis des pas dans la cour.

Ce n'étaient ni les enjambements de Paul, ni le trotte-menu de Léonie.

J'ai pensé : il revient. Et j'étais nerveuse. Pourquoi ?

— Bonjour Didi.

— Jean !

— Et puis, la vie ressemble-t-elle toujours à l'oncle Anthime ?

— Pour ça, oui. Elle commence à m'être bonne, parce que je l'aime.

— Et pour moi qui vous aime, Didi, vous êtes plus méchante que la vie…

— Allons, je suis votre meilleure amie!

— Oui, mais je voudrais mieux que ça. L'amitié ne monte pas si haut que l'amour.

— Quand je dis amie, vis-à-vis de vous, je dépasse le sens du mot. Vous savez bien, Jean, qu'une amoureuse ne peut pas se défaire de la tendresse, et vous connaissez le refrain: « La tendresse vaut mieux que l'amour… » C'est gentil l'air, hein?

— Mais la tendresse, Didi, c'est après l'amour.

— Peut-être, mais c'est mieux, c'est plus haut encore!

— Alors, ce qui nous est arrivé, c'est que nous avons passé trop vite sur l'amour. Reculons un peu… Gardons la tendresse pour plus tard.

— M'aimes-tu vraiment, Jean? Il y a des choses que je ne peux pas encore t'avouer… Le père de mon fils, tu ne sais pas qui c'est?

— Non. Dis.

— Si tu voulais que cela soit un aveu pour plus tard.

— Alors, ça viendra plus tard, comme… la tendresse. Aime-moi simplement comme je le fais. Je ne te questionne pas… et je pourrais tout entendre, pourvu que tu m'aimes… Tu ne m'as jamais souri ainsi Didi. Dois-je en être heureux? Est-ce une illusion que je me fais?

— Écoute, demain, nous irons faire un pèlerinage amoureux à la Pointe là-bas.

— Alors, nous recommençons l'amour? pour plus tard, la tendresse?

— Oui.

— Ah ! que la vie ressemble à ton oncle Anthime, comme elle est bonne quand elle nous a fait assez pleurer…

— Je te l'avais dit, Jean. Tu en riais alors. Mais j'attends Odette demain. Tu sais, madame Morel. Viens à deux heures, elle n'arrive qu'à cinq… et nous irons là-bas où c'est plus bleu, plus tendre qu'ici…

Odette et Solange passent avec moi quelques jours. Paul insistait pour que je les invite. Solange, la cousine trop jolie : c'est un nuage.

Que d'explications pénibles encore, s'il fallait qu'il s'enamoure de cette enfant. Odette n'a pas l'air de rien voir, elle.

Mais c'est maintenant que je comprends de moins en moins : au lendemain, Paul est parti pour la ville. Il était nerveux, pressé, brûlant :

— Puisque tu as de la compagnie, j'en profite pour une course. Je reviens dans deux jours.

Je l'ai laissé partir, sans m'en rendre bien compte ; je songeais : alors, Solange, ce n'est rien !

Dans la pénombre du balcon, le soir, j'ai voulu parler à Odette de mes soucis. Pour surprendre quelque vérité, j'ai feint de savoir que Paul faisait des folies à la ville.

— Je croyais que tu l'ignorais, Didi. Je n'osais pas t'en parler, d'autant plus qu'il a laissé cette liaison que tu sais.

Ah ! le supplice de vouloir apprendre ce qu'on ne voulait d'abord jamais croire, malgré l'évidence.

J'ai dit :

— Oui, je sais.

Pour questionner plus tard ; et sur le même ton calme :

— Alors tout est bien, maintenant ?

— Tout est mieux, Didi. Il fréquente Charlotte Normand, tu sais, la plus expressive des deux sœurs, la brune ; tu te souviens ?

Pour le coup, je n'en revenais pas. Mais contrôlant mes nerfs, ma voix :

— Il y a longtemps ?

— Depuis le début de Solange. Tu ne parais pas contente.

— Ça m'est bien égal.

— Distinguée et intelligente. Ton fils est reçu là comme un prince... et les Normand sont exclusifs...

— Et moi aussi, Odette, je suis exclusive à ma façon. Aristocratie d'argent !... Eh bien ça ne me plaît pas du tout.

— C'est ton passé qui te révolte. Sois plus généreuse. Paul ne veut pas tout de suite te dire qu'il est question de fiançailles, mais il me l'a confié.

Je me sentais mourir.

Odette reprit :

— Pourquoi ne l'as-tu pas fait légitimer. Il n'y a que cela qui te fait mal. Mais ne sacrifie pas à des préjugés le bonheur de ton fils. Normand comprendra l'aveu. Ce sont des choses secrètes pour tout autre... sois courageuse. Paul marié, c'est ta sécurité. Quand on est doué comme ton fils, on peut se faire pardonner tant de choses vis-à-vis des gens qui comprennent.

⋆ ⋆ ⋆

Paul est heureux. Je meurs de peine et d'inquiétude. Il faudra déclarer, pourtant.

Depuis quinze jours, j'essaie d'établir une histoire, un exposé quelconque, une invention d'aventure à raconter à Jules Normand. Tout est trouvé, étagé, mais j'ai peur d'avoir le trac quand il sera devant moi.

Si volontaire, si tranché, Normand.

J'attends de me ressaisir ; comme dans les répétitions, j'étudie à fond mon rôle pour le rendre en artiste.

Je veux une entrée en matière qui le fasse attentif, disposé, condescendant, ému. Puis, ensuite, je parlerai, je ne jouerai plus.

Comme c'est dur de souhaiter qu'un événement survienne qui abatte ces amours pénibles pour moi. Mon fils : n'avoir vécu que pour lui et briser son bonheur, peut-être l'ambition de sa vie. L'aveu : c'est dire qu'au bureau on n'en voudra plus, et qu'il perdra sa fiancée...

Ah ! l'affront d'avoir mis au monde un enfant que son père a renié. Voilà ce que ça fait.

⋆ ⋆ ⋆

— Tu es bien triste... Qu'est-ce qui se passe, Didi ?

— Rien, Jean, rien... Des nerfs. C'est Paul qui m'inquiète. Ce n'est rien, va...

— Tu n'es pas sûre si tu m'aimes, tu ne sauras jamais...

— Mais oui, je sais : je t'aime. Mais j'ai une vie si compliquée !

— Je ne peux pas t'aider, moi ?

— Cela m'aide que tu sois avec moi. Quand tu es parti... c'est affreux !

— Tu veux bien que je vienne souvent ?

— Souvent, oui...

— Et si je t'amenais pour toujours, au lieu de venir...

— Plus tard, Jean. Nous verrons.

★ ★ ★

Un soir calme. Je crois que demain, je pourrai jouer mon rôle vis-à-vis de Normand.

Et puis, le tout pour le tout, ce sera fini. L'angoisse affaiblit le courage...

— Léonie ! éveillez-moi à huit heures.

Et je répète mon rôle en fermant les yeux.

Un peu de véronal : le sommeil sera plus certain et meilleur.

Normand entrait à son bureau comme je descendais de voiture.

Détail sans importance ; mais de l'avoir vu avant d'aller frapper à sa porte, cela me donne une assurance que je ne raisonne pas bien. Je descends sur mes traits ma voilette vieillissante.

On m'introduit dès que j'arrive.

Avec l'air de dire : « que puis-je faire », Normand, d'un geste, me prie de m'asseoir. Il est très à l'aise.

Mes idées se mêlent du coup.

— C'est pour une consultation, monsieur Normand.

— Allez, madame, je vous écoute.

Cela me trouble qu'il tambourine son pupitre avec son crayon. Voyons mon rôle :

— Voici : c'est une rupture de fiançailles. Je consulte pour une amie, monsieur. Le jeune homme, après avoir déshonoré sa fiancée, l'abandonne.

— Pénible, ces choses... Y a-t-il fortune quelque part ?

— Cet homme épouse de l'argent : raison de la rupture.

— La jeune fille délaissée peut en tirer tout le profit possible... à part l'irréparable, l'honneur...

— Mais sa mère ne voudrait jamais publiquement faire justifier cette cause.

— Alors, madame, ce serait dire qu'on laisse opprimer la victime pour protéger le coupable, le…

— Je sais, monsieur Normand, que la justice est bien défendue quand vous la défendez; mais les parents de la jeune fille sont honnêtes et pauvres…

— Je ferai tout, madame, pour que le lâche prenne la responsabilité de sa faute, dès que vous m'aurez fourni les détails nécessaires.

— Je n'oserais m'en arroger le droit.

— Dites à cette amie que je mènerai l'affaire à bien, avec autant de discrétion qu'on entendra le faire.

J'ai joué mon rôle, pour en venir à la vérité.

Mais Normand continue:

— Ces gens sont de la ville?

— Non, monsieur, des amis de mon village. Je suis madame d'Auteuil.

— Madame d'Auteuil, parente de Paul d'Auteuil?

— Sa mère.

— Madame, je ne perdrai pas l'occasion de vous féliciter de votre fils. Et je ne vous apprendrais rien si je vous en parlais.

— Je vous en remercie. Mais si je vous apprenais quelque chose?

Je souriais, pour que le doute ne se mâte pas si tôt.

— Rien qui me surprenne, madame. Vous savez que c'est un habitué de ma maison?

— Monsieur Normand, j'en suis honorée.

— Tout est bien partagé, madame.

— Ce qu'il y a de triste, c'est que tout n'est pas partagé…

— Que voulez-vous dire?

— Que Paul aura bientôt de la peine.

— Qui lui en ferait?
— Vous et moi, monsieur.
— Jamais, pour ma part, je vous jure.
— Si vous n'en faites rien, il faudra que je sois le bourreau.
— Je ne comprends rien. Paul aurait-il déshonoré ma fille? Ce serait là, l'à-côté de votre consultation?
— Non, monsieur. Paul est honnête.
Puis, très doux:
— Il a des aventures, peut-être?
Je ne bronchais pas, le laissant continuer.
— C'est de son âge. S'il n'a pas été lâche...
Puis subitement:
— Voudriez-vous, madame, l'empêcher d'entrer à notre Étude?
— Vous n'y tenez pas pour l'Étude Danais-Normand, mais pour Charlotte, votre fille.
— Libre à lui si vous en êtes là. Je vous avoue que ma fille est très attachée à votre fils, et que lui-même est loin d'être indifférent: on parle de fiançailles.
Il marchait de long en large et s'arrêtait de loin, derrière moi, me regardant dans le dos.
Je souriais toujours; c'était mon masque.
— Dites, madame, reprocheriez-vous quelque chose à Charlotte?
— Rien. Une excellente enfant.
— Et à Paul?
— Mon fils que j'adore et que je vais faire pleurer.
— Vous êtes cruelle. Où voulez-vous en venir? Qu'est-ce qu'il y a de triste dans l'affaire ou dans les fiançailles? Cela devient une plaisanterie et je vous dis, madame, que je ne peux pas plus longtemps la supporter...

— Ce qu'il y a de triste ? Ceci : c'est qu'avant d'épouser Lucien d'Auteuil...

J'hésitais.

Il m'aida :

— Vous aviez ce fils naturel ?

La figure de Normand se rembrunissait.

— Et la douleur vous a rendue amère, pauvre dame. Charlotte ne reculera pas devant ce préjugé.

Je m'apprête à relever ma voilette, et découvrant à vif mes traits :

— Le plus triste, monsieur, c'est que je m'appelais alors Didi Lantagne...

Le toit se serait effondré sur sa tête qu'il n'aurait pas eu figure plus terrifiée.

Il s'assit. Je le sentais penser au désespoir de sa fille. Il ne songeait nullement à mon fils : cela me faisait mal. Il ne pensait pas à ma douleur non plus : cela me révoltait.

Après ce vertige de silence, il parla le premier :

— Alors, cette consultation ?

— Un subterfuge, pour que vous-même, avocat, vous vous accusiez. Vous avez dit : lâche, en parlant de cet homme fictif qui est vous. Tu as devant toi, Jules Normand, ta fiancée, abandonnée et déshonorée. Tu n'as plus de femme, je suis toujours ta fiancée... éternellement. Notre mariage a été consommé sans être béni. Notre fils, c'est l'affront qui en résulte... Confesse-toi à Paul, c'est ton devoir ; le seul que tu peux accomplir, le seul qui reste ; les autres, je les ai accomplis, moi...

— Je n'en aurai pas le courage...

— Écoute, Normand, quand on a fait ce que j'ai fait avec le cœur que j'y ai mis...

Mais j'ai éclaté.

Je le sentais vaincu, défaillant, tendre. Il pâlissait. Puis soudain :

— Je me sens très mal, Didi. Revenez demain.

Je dus partir. Sa voiture croisa la mienne au détour d'une rue.

⋆ ⋆ ⋆

Au lendemain. Une heure. J'appelle une voiture. Bien déterminée à ce que Normand fasse sa part dans le sacrifice.

— Conduisez-moi au 112, Saint-Jacques.

Comme ce nouvel et dernier entretien me fait peur. Comme j'ai hâte de m'en retourner dans le silence.

Cette cohue-là de la ville, ces bruits, ces gens, tout aiguise mes nerfs, ma sensibilité. Mes mains sont moites.

L'auto stoppe.

— Le bureau est fermé, madame. Sur un numéro, je ne savais pas où je conduisais… Si madame m'avait dit : chez Danais-Normand, je savais que…

— Mais, c'est un crêpe qui flotte à la porte !

Et je regardais l'individu, attendant qu'il me réponde : « non madame, ce n'est pas un crêpe ».

Il ne répondait pas. Je regardais la porte en deuil, et je disais à l'homme :

— C'est Normand qui est mort ?

Je suppliais des yeux pour qu'il me rassure : « mais non, madame, Normand vit encore. » Et ce monstre indifférent me dit :

— Oui, madame, c'est Normand qui est mort.

— Quand ?

— Hier, vers six heures. Les journaux du matin rapportent qu'il se sentit très mal, hier, à son bureau, et qu'on le conduisit à sa résidence vers quatre heures.

Normand est mort ! Comme il devait être faible quand je lui ai parlé.

Les hommes ne peuvent pas souffrir. C'est peut-être un peu ma faute s'il est mort. A-t-il craint que je fusse méchante envers lui ? Je n'ai pas voulu lui faire si mal. Je voulais qu'il comprît et qu'il m'aidât. Il a vu trop à vif. Il a eu peur.

Non, les hommes ne peuvent pas souffrir. Je ne le savais pas assez.

Je l'ai tué... c'est vrai que je l'ai tué... Pauvre Normand ! Malheureuse !...

⋆ ⋆ ⋆

Charlotte avait déjà envoyé une dépêche à Paul. Arrivé par le train de nuit, et sans me chercher en ville, d'abord, il est allé chez les Normand. Il m'arrive à six heures, ce matin, pâle :

— Un deuil subit, hein ? Claire et Charlotte ont lu la dernière clause du testament devant moi... J'ai pensé que j'allais mourir, me dit Paul.

— Qu'est-ce qu'il y a ?

Je voulais paraître désintéressée, ignorant les pourparlers de fiançailles.

Il continua, hagard, mais ferme :

— Le testament est daté de la mort récente de madame Normand, en mars. Il porte cette clause dernière, à peu près dans ces termes :

« Après avoir légué argent et propriétés à mes filles, etc., je demande aux exécuteurs testamentaires, ceci : Si jamais on retrace mon fils, de nom inconnu, ayant pour mère Didi Lantagne, je cède à cet enfant la part de fortune que j'ai déposée depuis quinze ans, à chaque Noël, chez mon ami le notaire Henri Renaud… Si on ne retrouve jamais l'enfant, après attente légale, je lègue cette part de ma fortune à la société pour le mal que je lui ai causé et comme témoignage de mon regret. »

Le coup terrible d'entendre mon fils. Sa douleur le roidissait. Ses mains tremblaient. Son attitude disait : je veux passer la crise sans pleurer. Je veux être un homme, je veux…

Mais non.

On est un homme, quand même on pleure dans ces ouragans, va…

Je savais qu'en lui disant : « Ne pleure pas, mon chéri… » il éclaterait, il pleurerait davantage. C'est cela qu'il faut quand la douleur fait peur au cerveau, quand le cœur gonfle, gonfle…

J'ai voulu qu'il pleure pour le sauver… qu'il pleure, qu'il pleure.

J'étais tendre autour de lui pour qu'il pleure à satiété.

Et je pensais : les larmes, c'est bon ; pleure, mon Paul.

Quand je vis qu'un peu de sang chaud affluait à ses joues, sur ses mains, comme un cauchemar dont on se débarrasse, comme si je l'avais vu sortir d'un gouffre où il étouffait, tout bas, j'ai respiré : il est sauvé !

— Dis, as-tu parlé ? Charlotte sait-elle que c'est toi ce fils, ce frère ?

— Non. Elle a tant de peine. Je n'ai rien dit, je suis sorti. Puis je suis rentré l'embrasser. Nous devions nous fiancer en octobre. Elle a craint que cet événement me détachât d'elle. Je n'ai pas pu lui dire. Puis, dans le cœur, ça me faisait comme des arrêts subits ;

mes doigts, mes jambes devenaient insensibles. J'ai marché dans la ville... J'ai passé trois fois devant l'hôtel, et chaque fois, je me disais en passant : ma mère est là qui souffre. Il faut que je sois calme pour lui parler. Je ne voulais pas m'évanouir...

Il porta la main à son cœur :

— Il y a encore des pulsations qui échappent. Fais de l'air. Ouvre vite la fenêtre... Je suis mieux... ne t'inquiète pas. C'est assez de toi qui as les yeux si... Non, tu as l'air de bien prendre les choses. À nous deux, ça se partagera... Ouvre un peu plus grand... attache les rideaux. Bon. Le temps est lourd. Après les funérailles, je parlerai à Charlotte.

— Enlève ton faux-col. Tiens, Paul, prends ça.

— Qu'est-ce que c'est ?

— De la strychnine. Tu vas reposer. Laisse tes bras tomber comme ça. Tu es mieux ?... M'en veux-tu, Paul, pour tout ce...

Je m'entrais les ongles dans les chairs... Ah ! la grimace du mal que je retenais, quand il tournait sa chère tête sur l'oreiller.

Je le fatiguais, je m'en aperçus, par un réflexe qu'il fit. Il avait mal, pauvre petit. Il murmura :

— Non, je ne t'en veux pas hein ! pauvre maman-martyre. Mais pourquoi ne m'as-tu jamais dit que cet homme était mon père... Je souffre...

Puis, un instant après :

— Mon Dieu ! que je souffre.

Il se tournait vers moi, le visage crispé, la gorge dure de sanglots ; ses yeux disaient, ses narines disaient, sa bouche disait : arrache donc cette épine de mon cœur. Il continuait :

— Tu ne sais pas ce qui se déchire en-dedans de moi, de tendre, de...

Il haletait, comme après une rude montée.

Ah ! pouvoir lui prendre son mal, le lui voler, et aller le souffrir ailleurs, moi. Ça me connaît les plaies...

Un apaisement tout à coup. Il va dormir. Des larmes coulent encore et ses yeux sont fermés.

Les boire ses larmes... Il se plaint. Ses épaules ont des soubresauts.

— Paul ?

Une voix qui n'a plus le vouloir de répondre. Il a soufflé : O-u-i... Il dort. Je peux pleurer. Je voudrais crier !

⋆ ⋆ ⋆

La vie change ses combattants.

Sois glorieux, Paul, tu ne seras pas le moindre aux citations d'honneur. Bientôt, ta conscience proclamera ton nom à ton oreille. Pour ces batailles, pas de décorations futiles, pas de croix en or, en argent ou en vermeil. Non. Mieux que ça.

Du courage pour marcher quand, pour se guider, on ne voit pas un pas devant soi. Sentir le doute enliser les membres, se voir descendre, et contre tout espoir, par la vaillance, revenir à la surface, les pieds sur la terre ferme... Entendre crier : « tout est perdu » ! et aller de l'avant, seul ; quand tous les autres ont rétrogradé, croire quand même qu'il faut croire ; la foi dans l'âme, la force au cœur, quand les muscles manquent, quand les nerfs trahissent, marcher... marcher ! Se battre, se battre, et sentir les coups sur la plaie vive. Ne rien voir encore, en avant, souffrir, faiblir, ne pas se retourner pour ce qu'on laisse derrière : c'est être le soldat que tu seras. Je le veux.

La vie a changé ses combattants.

Tu es déjà balafré.

Que tu es beau ! Que tu es beau !

Écoute : la vie, vaut mieux s'en faire une amie. Elle est plus forte que l'Amour, tu vois. Elle est plus forte que la Mort, tu vois. Elle est plus forte que les énergies déployées de tous les mondes.

Fais-la t'aider.

Rien ne la fait reculer, elle. Rien ne l'apaise. Rien, rien rien, que la résignation du cœur.

Aime-la pour ce qu'elle a de cabrant.

Tu n'as encore rien fait de mal. Sois béni...

J'ai été avant toi dans les rangs, dans la mêlée... J'ai marché dans les nuits noires. Une femme, moi. Toi, un homme !

Trouve-moi quelque chose de plus beau que le courage, Paul !

— Ta bonté, mère.

On frappe à la porte.

J'essuie mes yeux... Comme je dois avoir l'air égaré !

On insiste...

Oui, oui, un instant, j'ouvre.

Est-ce un cauchemar, cela ?... La police ici ?

— Vous êtes madame Lucien d'Auteuil ? me dit une voix grave.

Ils sont quatre qui me regardent.

— Oui, monsieur.

— D'après les déclarations du concierge à l'enquête, les autorités policières vous appréhendent et ont besoin de votre témoignage sur la mort de Jules Normand. Voici le mandat d'arrestation.

— Moi ! mais je n'y suis pour rien, je n'en sais rien.

— On ne vous accuse pas. Vous l'avez laissé à son bureau quelques heures avant la catastrophe. Vous avez eu un démêlé avec lui : ce démêlé, il faudra l'expliquer.

— Mais non, mais non, mais non. Je vous jure que…

L'agent regardait Paul.

— C'est votre fils ?

J'ai signifié oui, sans répondre et sans regarder.

— Il est sous arrêts aussi.

— Mon fils !… On l'amène… Mon fils !

— Et vous aussi, madame. Nous ne pouvons pas vous questionner ici.

Paul leur tendait sa bonne figure.

— Prenez-moi. Ma mère est innocente.

— Et vous ? lui ont-ils dit.

— Je n'ai rien fait.

— Il n'a rien fait, leur dis-je. Il arrive, appelé par une dépêche…

— On jugera, coupa durement le chef. Notre mission est de vous amener. Elle finit là… La Justice s'y connaît si vous êtes tous deux innocents.

— Ah ! la Justice, leur dis-je, avec toute l'amertume, la rancœur et le désespoir que j'avais dans l'âme ; si elle ne s'était jamais trompée, je n'aurais pas peur. Et même si elle exonère, la Justice, l'honneur, elle ne nous le rend jamais tout à fait… Traînés par les gendarmes, dans la ville… détenus prisonniers… l'accusation, la cour… ah !

⋆ ⋆ ⋆

C'est aujourd'hui que je dois faire face à cette foule curieuse, la foule en quête de sensations.

C'est moi la boule magnétique : on me regardera. Je suis l'accusée qui passera tantôt dans les couloirs, escortée des gendarmes… moi !

Tous les yeux se lèveront sur mon déshonneur et celui de mon fils...

Qu'est-ce qu'ils me feront dire, ces avocats ? celui qui veut me perdre, me condamner, qu'est-ce qu'il arrachera à mon innocence ? qu'est-ce que j'avouerai ? Je n'ai rien fait... On me demandera mon nom... mon nom : la clef de mes secrets. Pas coupable de la mort de Normand, non, mais coupable ailleurs, quand même, dans mon passé qu'on dévoilera.

Des pas ? c'est la cellule de Paul qu'on ouvre... On vient... c'est pour moi.

Je marche comme si je ne savais plus marcher. Le bras est viril et brutal qui me prend et m'emmène.

— Vous me conduisez trop vite... J'ai affaibli, vous savez...

La salle, l'auditoire, la boîte de l'accusée... Je vois la Justice sévère, en habit sévère... Mon avocat. L'autre qui veut me condamner. Des bruits épars. Du silence.

Et c'est moi qui comparais la première ? on m'avait dit, pourtant...

— Oui, c'est mon nom, madame Lucien d'Auteuil.

— Où habitez-vous ?

— Auvray.

— Veuve ?

— Depuis dix ans.

— Paul d'Auteuil est votre fils ?

— C'est mon fils.

— Vous étiez au bureau de Normand, mercredi le vingt dernier ? Qu'y étiez-vous allée faire ?

— Mon fils devait entrer en septembre au bureau Danais-Normand ; je ne voulais pas.

— Pourquoi ?

— Je voulais qu'il retourne à l'Université.

— Reprochiez-vous quelque chose à Normand ?

— Rien.

— Votre fils était plus qu'en bons termes avec la famille Normand ?

— Il fréquentait Charlotte...

Brusquement :

— On a trouvé cette boîte de strychnine dans votre sac à main que voici.

— C'est ma prescription... Je n'en ai donné qu'à mon fils quand il est entré fatigué après...

Plus brusquement :

— Vous parliez très haut avec Normand au bureau.

— Je ne me souviens pas.

— Vous souvenez-vous que Normand ait dit : Paul aurait-il déshonoré ma fille ?

— Il a dit cela.

— À quel propos ?

Je m'affole... on me presse de questions.

— Parce que j'insistais pour retirer Paul de l'Étude, et que je craignais qu'il épousât Charlotte Normand.

— Pourquoi avez-vous dit : tu n'as plus de femme, je suis toujours ta fiancée ?

J'ai levé la tête avec un triste courage, pour avouer :

— J'ai déjà été sa fiancée...

— Vos paroles à Normand laissent entendre que vous croyiez être encore sa fiancée ? Comment expliquez-vous cela ?

— Son veuvage et le mien, et le serment antérieur qu'il y avait entre nous.

On me congédie. Mes jambes flageolent... mes yeux se troublent...

Une voix :

— Appelez le concierge Lambert, du bureau Normand.

On lui fait des questions sans importance, puis, tout à coup :

— Qu'avez-vous entendu en passant par le couloir, près du bureau ?

— D'abord, madame, que j'avais vue entrer et que je reconnais, madame disait : « Mon fils que j'adore et que je vais faire pleurer. »

Il répète ce qu'il a déclaré à l'enquête.

— Ensuite, dit-il, je vis que l'on démêlait une situation étrange, j'entendis monsieur Normand dire : « Vous aviez ce fils naturel ? » et la voix de monsieur Normand était surprise. La réponse de madame, je ne l'ai pas entendue, j'ai filé à mon travail, et quand j'ai repassé, n'entendant plus rien, j'ai écouté : rien. J'ai cru que madame était partie, alors j'ai frappé à la porte. J'ai vu madame avec les habits qu'elle porte aujourd'hui… elle avait une voilette ce jour-là, épaisse, qui dissimulait ses traits…

On l'interrompit :

— Êtes-vous bien sûr de la reconnaître ?

— Mais oui, quand monsieur Normand a entrouvert la porte, je vis que madame avait relevé sa voilette et qu'elle pleurait. Monsieur Normand, lui, était si pâle qu'il me fit peur. Je lui ai dit : dois-je commencer tout de suite à débarrasser le bureau vacant de monsieur Dupuis ? Dupuis, c'était un employé parti depuis une semaine. Il a répondu : « Je vous appellerai. Laissez. » Il a fermé la porte avant que je me retourne. Il était nerveux.

Les employés du bureau passent à la rampe chacun leur tour pour m'identifier. Ils m'analysent et ne reconnaissent que mes habits…

— Tournez ici votre visage, madame…

Mes doigts se glacent... les voix sont dures à mon oreille anxieuse.

Paul est sombre et droit sur son siège... On l'appelle!

Ah! tout dire, moi, mais les convaincre de son innocence et de la mienne.... Vous allez bientôt tout entendre.

Mon fils répond... quoi? qu'est-ce qu'on lui a demandé? Je pense à la confession que je vais faire, publique, déshonorante...

De quoi t'aura servi, Lucien d'Auteuil, de nous avoir racheté l'honneur? Tantôt, je vais avouer ma jeunesse... tantôt, pour me sauver de l'erreur qui court dans les cerveaux, tantôt...

Paul répond; mais les questions traîtres!

— J'ignorais que ma mère connut Normand, a dit Paul.

— Pourquoi votre mère jouait-elle vis-à-vis de vous ce mystère? Vous a-t-elle parlé de lui?

— Jamais.

L'avocat se lève vivement, il se penche, le geste accusateur; la voix saccadée, pressée et grave:

— Paul d'Auteuil, ne dissimulez pas. Ce n'est pas ici que vous avez appris que votre mère connut Normand; vous le saviez avant sa déclaration. Qui vous l'apprit?

— C'est mademoiselle Normand qui me l'apprit.

— Comment vous l'apprit-elle?

— Elle me fit lire...

— Arrête, Paul, ai-je crié, supplié, tu pourrais mentir pour me sauver l'honneur. Je vous expliquerai... Écoutez, je vais tout dire, tout...

Le juge intervint: « Madame, vous n'avez pas le droit de déranger l'ordre de la Cour et de détourner ainsi une question. Laissez finir le témoignage de votre fils. »

Je me suis trouvée assise sans m'en rendre compte. Un gendarme m'escorte. L'avocat continue :

— Paul d'Auteuil, que vous a-t-elle fait lire, mademoiselle Normand ?

— Le testament de son père, pendant la nuit du deuil.

— Que pouvait vous apprendre ce testament ?

— Que j'étais le fils inconnu de Jules Normand.

Il cite la clause dernière...

Le chauffeur du taxi numéro 18 est appelé. Il raconte la même scène souffrante avec une émotion qui me surprend. Il met dans sa voix le son de la mienne, la surprise que je fis pour dire : « Mais c'est un crêpe qui flotte à la porte. » Il raconte.

Une voix : « L'accusée. »

Je me lève.

— Vous avez dit, madame, que vous étiez déjà fiancée à Normand... Pourquoi ce ton avec lequel vous lui parliez, ces larmes, pourquoi a-t-il pensé à quelque déshonneur pour sa fille ? pourquoi la voilette ?

Ce fut comme une ruée de questions, et puis, la voix basse :

— Savez-vous que le témoignage du concierge Lambert vous accuse ?

J'ai dit : je ne sais qu'une chose, c'est que je suis innocente... Cette voilette, la voici ; voyez, elle efface mes traits... Je la portais alors pour que Normand ne me reconnût pas... C'est avec cette voilette protectrice que j'ai pu raconter à Normand notre histoire à nous deux, avec d'autres noms que les nôtres... pour qu'il s'accuse, lui, en accusant les autres. Pour...

Mais je tremblais, mais je tremblais de tous mes membres. Mes dents claquaient. J'articulais mal.

— Madame, déclarez tout ce que tantôt vous vouliez dire quand vous avez interrompu votre fils.

— Mon fils est aussi le fils de Normand. Je vous jure que je n'avais aucune rancœur contre cet homme. Il m'a laissée, dès que, affolée, je lui avouai que j'étais enceinte. Il m'a dit : tue-le. Alors, j'ai vu qu'il aimait une autre femme. J'ai dû le regarder comme une bête sans défense à qui l'on fait mal et je lui ai dit avec courage et orgueil : il va vivre, notre enfant... Paul est né prématurément le 12 décembre 1907. Ce soir-là, en lisant les journaux, j'appris que Normand était marié. Je ne l'avais pas revu. Cinq ans plus tard, j'ai épousé Lucien d'Auteuil après lui avoir tout avoué. À la mort de mon époux j'ai confessé à mon fils que d'Auteuil n'était pas son père.

Quand j'appris les pourparlers de fiançailles de mon fils à Charlotte, j'ai vu que le secret était impossible et c'est ce que j'allais déclarer au bureau de Normand. Il n'a pas pu supporter la façon avec laquelle je lui présentai notre vie passée. Quand je disais : le coupable, le lâche, c'est vous, Normand.

C'est le testament de Normand qui a révélé son père à mon fils.

Je raconte la fatale entrevue.

J'attends un mot qui ne m'accuse pas.

Le jury délibère. Paul a dû laisser la salle avec les témoins.

— Acquittée. Exonérée, ai-je entendu.

Mais la tache... mais mon fils qu'on a traîné dans mon péché !

La Justice ne lave pas ces aveux. Je n'ai pas tué, non, mais on m'a tuée, moi, dans l'honneur que j'avais reconquis, dans ma tendresse, dans mes secrets...

La Justice a fait laide ma douleur de femme et de mère... et mon fils, devant les yeux indifférents et curieux, mon fils n'est plus qu'un homme qui ne devait pas naître... un accident fait homme... la honte... fait homme...

★ ★ ★

Jean m'attend à la gare de Lombreval. J'y avais bien pensé, mais cette attention, au lieu de m'être chère, m'humilie davantage...

Je vois tant de curieux, tant de badauds qui guettent mon arrivée et l'expression de ma figure déconfite...

Les journaux ont tout raconté... Quoi dire à Jean ?

Il est là... Je descends... Il me donne le bras et m'entraîne comme s'il voulait me ravir à la foule, me sortir de cette impasse inhumaine.

— Enfin, Didi, c'est tout passé d'un coup le mauvais tournant, mais tu m'es bien plus chère encore. Nous oublierons tout cela ensemble.

Je n'ose parler, j'ai peur d'éclater.

Mais il pleure, lui. Et dans les larmes où la peine et la joie se mêlent, nous décidons de partir bientôt. Ailleurs, les épousailles... ailleurs la vie, ailleurs... ailleurs !

Je fais mes adieux à Lombreval.

— Demain, Jean, je pars pour Auvray. J'y fermerai ma maison... Je dirai adieu à Lucien d'Auteuil, au cimetière d'Auvray.

— Dis adieu à la peine aussi...

★ ★ ★

Et les événements ont passé.

Dans une somptueuse résidence, quelque part, une orpheline en beau deuil, regarde s'égrener les heures. On la voit souvent à sa fenêtre.

Son fiancé, parce qu'il était son frère, n'est plus retourné à la maison.

L'Amour a de ces traîtrises.

Si Paul pouvait ne rester que son frère, quel soutien…

L'amour a tout gâté en voulant donner plus qu'il n'en était capable.

Il lui a ôté les deux : et le frère et le fiancé.

Pauvres enfants qui devez payer encore autant que nous avons payé, nous, pour une minute d'égarement. Pour l'ivresse d'un printemps déjà lointain. Pour un voyage dans l'avril. Pour un mot qui m'a trop attendrie. Pour un geste que j'ai fait, plus subtil, dans les cheveux de Normand.

Pour une surprise d'ivresse, pour un serment révoqué.

Pauvres enfants…

Ce n'était rien, pourtant, en apparence, que cet affolement juvénile, ce besoin de vivre, d'être sincère un instant, d'être heureux…

D'avoir voulu être heureux, c'est cela qui était si mal.

C'est cela le premier chaînon de la chaîne que les jours après les jours ont forgée. Et je le recommence…

Paul est parti terminer son droit à Paris.

Et me voilà à mon village d'Auvray.

Moi, je suis la fiancée deux fois veuve.

Les clartés meurent dans mes yeux trop tristes.

Amour, tu m'as brisé tout ce que j'ai aimé au monde, mais tu m'as gardé celui qui pouvait m'en consoler : Jean.

Si nos âmes, dans les ailleurs éternels ont le privilège de se rencontrer, que direz-vous en vous connaissant, toi, Jules Normand, et toi, Lucien ? Moi, j'ai pour rien lutté, voyez. J'aime Jean Vader. Quand on est une amoureuse, on n'échappe pas au destin... Quand on n'est qu'une amoureuse, toutes les routes sont fatales. J'ai brûlé tant de mon cœur et tant de mon cerveau, sur les rangs de la défensive... J'ai tant retendu mes nerfs que je ne peux pas durer ce que je devais durer. J'irai vous retrouver.

⋆ ⋆ ⋆

Le cimetière d'Auvray est tout en fleurs.

Le mausolée de Lucien s'élève, blanc derrière des iris violets et des chrysanthèmes.

— J'ai été longtemps partie, mon chéri, mais je reviens. Je m'approche, vois. En vieillissant, je m'approcherai davantage, parce que ce corps que j'ai, on le couchera près du tien... Mais, vois-tu, ce sera plus tard cela. J'ai un serment qui me lie à vie avec Jean Vader, que j'ai connu bien avant toi. Mais, dans le temps, je t'ai préféré. Pardonne. Il n'y a plus que la mort maintenant pour nous réunir. Alors, pas de mausolée pour moi, je viens d'avance graver mon nom sur le marbre, le tien, ici... regarde où je mets le doigt... As-tu vu Normand, de l'autre côté ? Il y a trois mois qu'il est parti, comme toi, dans une bière noire... il y avait des larmes d'argent sur le velours qui recouvrait son catafalque. J'ai peur de l'avoir tué !... Ne m'accuse pas : je lui ai dit mon nom parce que mon fils, qui ne savait pas, voulait épouser sa fille. Est-ce que tu remues sous la pierre ou si c'est moi qui te rejoins ? C'est donc bien beau là-bas pour que tu ne reviennes pas... Est-ce au-delà des nuages, derrière ce bleu que tu restes ? Pour te rejoindre, il faudrait que je passe sous terre d'abord. Ah ! si je me donnais à la mort plutôt qu'à l'Amour : la chair est si décevante !

Non, non, ça ne serait pas dur de dire adieu à tout ce que j'ai vu... je n'aurais pas plus froid que toi qui demeures là depuis si longtemps... Et puis tu étais si frileux, toi, le soir, quand tu toussais ; quand tu trouvais que je passais trop vite dans l'air que je déplaçais. Tu me vois Lucien ? Regarde ce qui brille à mon doigt. Je suis fiancée... Vader dit qu'il m'aime plus que tu m'as aimée. Depuis un mois on dirait que quelque chose s'embrouille dans mon cerveau. Notre bonne, Léonie, me dit que je ne distingue plus les couleurs. Parce que je ne dors pas la nuit, pour venir en cachette te retrouver, dans le village on dit que je suis folle.

Léonie m'espionne, je la renvoie demain. Je ferme la maison... À quoi c'est bon une maison, dis, toi qui n'en habites pas, je serais mieux ici.

Je vais creuser un trou cette nuit, quand tout le monde dormira. Je t'ai emporté un drap neuf ; le tien doit être usé.

J'entends des pas... Ce n'est pas toi ? Attends-moi, je grave mon nom avant de descendre... On me persécute : jusqu'au médecin qui vient me voir et qui me dit : « vous seriez si bien dans un sanatorium où il y a des gens très drôles qui vous amuseraient. » Je ris, je ris ! je ris ! J'ai peur !

Tes parents m'ennuient ; ils viennent à la maison et s'en vont pleurer, dans les coins. Je les surprends. Ils m'embrassent, puis ils pleurent. Odette, ta sœur, est la plus entêtée. Elle veut m'amener je ne sais où. J'ai peur de ses yeux hagards quand elle me regarde. C'est demain qu'elle veut... Garde-moi. J'achève de graver mon nom.

Te souviens-tu de l'âge que j'ai ? L'âge que j'ai ? Je ne sais plus... Je dois être bien vieille, depuis le temps que tu es parti...

Un soir, j'ai feint de dormir et je me suis levée pour entendre ce que se disait ta famille. Des conspirateurs, les tiens. Ils disaient : « Si on la traitait à Saint-Jean-de-Dieu, cela peut revenir... elle n'est pas facile, il faudrait... »

Tu vois comme ils deviennent méchants. Je voudrais les tuer, me tuer... Si tu me défends, je n'en ferai rien. Déplace un peu de terre, je vais t'aider... je creuserai à côté de la pierre et quand je te toucherai...

Je l'ai dit à tout le monde, je l'ai crié dans la rue que Normand était le père de Paul, pour qu'on ne t'accuse pas. Je t'aime, toi...

Quelqu'un vient... Ils avancent, prends-moi, prends-moi, Lucien.

Je meurtris mes doigts dans cette terre dure qui te recouvre... Je vais crier. N'aie pas peur, je voudrais qu'ils s'en aillent, eux. Je me sauve, je reviendrai. Je suis prise. Lucien !

Qu'est-ce que je vous ai fait à vous tous ? Et toi aussi Odette ! Tu le sais pourtant, que Lucien est mon époux. Ce n'est pas clandestin ce que je fais. Laissez-moi dormir un peu à côté de lui. Laissez-moi ! je ne pourrai plus revenir. Demain je serai mariée à Jean Vader.

Traîtres ! Griffes de vautours... visages monstres ! Vous êtes trop lâches pour me tuer...

Ah ! toi, Odette, avec ton miel dans la voix, tais-toi, hypocrite ; tu me tiens plus fort qu'eux tous. Tu me fais mal. Desserre un peu tes doigts, je te pardonnerai.

Vous passez ma maison. C'est là derrière, où il y a une lumière bleue... non, une lumière rouge... non ; la lumière que vous voyez, vous autres.

Et pourquoi monter dans cette auto. C'est le médecin qui est là, je ne veux pas le voir.

On file trop vite. Si vous me laissiez descendre.

Je ne veux pas qu'on me parle.

— Où est mon fils ? Normand l'a-t-il emporté dans sa tombe ?

Tais-toi, Odette, ta voix est menteuse, tu me hais.

Je n'ai pas tué Normand, je n'ai pas...

Non, docteur, je ne prends pas de pilules, j'ai peur de dormir.

Non, c'est inutile. Lâchez-moi... aïe ! je l'ai avalée... vous m'avez trop cambrée. Est-ce que je ne vous fais pas pitié, voyons. Dites, allez-vous me livrer à la Justice ?

Non ?... Vous en êtes bien capables.

Je suis exténuée. Laissez un peu mes bras. Je ne fuirai pas, tenez mes jambes, si vous avez peur.

Je vais laisser tomber ma tête, docteur, voulez-vous ? Ne me donnez plus rien.

Je pense que je meurs...

Non, ce n'est pas du sommeil, ça, c'est chaud et c'est froid dans mes veines. On est bien quand on meurt comme ça.

Retournez donc vers ma maison... je vais dormir dans mon lit avec Odette. C'est que j'ai de la peine. Oh ! là, tout à coup, que j'ai de la peine !

Non, je ne dors pas, je vous trompe, je vous entends parler...

Où est Paul ? Lucien a remué sous la terre tantôt. Il m'attend, Lucien...

Et Jean Vader aussi m'attend. Là, je comprends...

Oui, je vais dormir. Vous ne me ferez plus mal, hein ? Plus de pastilles, plus de bras serrés...

Le moteur roule dans ma tête… Ce qu'il m'étourdit. Vous ne pourriez pas…

Odette qui était si jolie, elle est laide…

Comme je repose avec Lucien… mais je trahis Jean ; j'ai juré… Ils avaient des griffes… ma robe doit être…

Je n'ai pas voulu le tuer, Normand.

Laissez. Je dormais un peu. Voilà qu'ils recommencent.

Ah ! on descend chez moi.

Mais non, c'est une église ça !

Un monastère ? Mais on ne prend que des vierges ici.

Vous êtes sûrs que non ? Est-ce ici qu'il y a des gens très drôles qui m'amuseraient, docteur ?

Ah ! oui, des visites, allons ; c'est le soir.

Non, je vous dis, moi, que ce n'est pas le matin.

Odette, je te giflerais, toi !

Je n'entre pas. Vous me malmenez.

Des cornettes ! ah ! que c'est drôle des cornettes qui viennent. Des sœurs pour finir le bal…

Ah !

Ramenez-moi dans la voiture, ça a assez duré. Lucien m'attend. Il faut que je cherche Paul…

Oui, ma sœur, c'est mon fils, Paul, le seul que j'aie, mais il faut que je raconte son histoire… Je pense que Normand l'a emporté… Mon mari m'attend au cimetière d'Auvray…

Où sont-ils mes gens ?

Odette ? Docteur ? Les autres…

Mais c'est qu'il faut que je les retrouve pour m'en retourner. J'ai un rendez-vous… imaginez que…

Je ne veux pas me coucher, ma sœur, je n'ai pas le temps…

Vous tiendrez votre parole si je ne pleure plus? Regardez mes yeux.

Tous les hommes les ont aimés, mes yeux...

Je ne me souviens plus de mon âge?

Si je voulais mourir ici, vous me laisseriez faire?

Et puis, pas d'histoire, pas besoin de mausolée au cimetière d'Auvray...

J'ai déjà gravé mon nom avec ce stylet, tenez...

Ils m'ont prise à ce moment-là, comme je...

Des parents! des amis!

Remettez-moi le stylet.

Demain. C'est bon. Demain.

C'est vrai ce que vous me dites là, ma sœur, que vous me ramènerez? Ce qu'ils vont en faire une figure!

Mais oui, je dors tout de suite. On ne viendra pas me prendre? Je n'ai pas voulu le tuer. Mais si Jean Vader vient, laissez-le m'emmener. Il comprend, lui...

Ah! mon nom... mon nom maudit qui a fait mourir Normand...

Chronologie

1900

Le 27 novembre, à Saint-Fabien de Rimouski, naissance de Marie-Angèle-Alice Bernier, fille de Joseph-Elzéar Bernier, maître-menuisier, et d'Élise Morest.

1905-1915

Elle fréquente l'école paroissiale de Saint-Fabien.

1915-1917

Elle fait ses études à l'École normale de Rimouski.

1917-1923

Elle enseigne dans diverses paroisses : Saint-Mathieu, Saint-Jean-de-Dieu, Saint-Moïse, Luceville et Saint-Fabien. Durant ces années d'enseignement, elle collabore à *La Presse* et au *Soleil* et adopte le pseudonyme « Jovette » qu'elle tire de l'appellation latine de Jupiter : Jove.

1923

Elle quitte l'enseignement pour le journalisme. Elle travaille à *L'Événement* de Québec où elle rédige des billets sur l'actualité.

1924-1931

Journaliste à *La Tribune* de Sherbrooke.

1924

Publication de *Roulades*, son premier recueil de poésie pour lequel elle est décorée par les Jeux floraux du Languedoc.

1926

Parution d'un deuxième recueil de poésie: *Comme l'oiseau.*

1929

Tout n'est pas dit, son troisième ouvrage de poèmes, est publié et lui vaut la médaille du lieutenant-gouverneur, l'honorable Henry George Carroll.

1931

Une cinquantaine de chroniques sont éditées sous le titre *On vend le bonheur.* Quelques mois plus tard, paraît *La chair décevante*, son premier roman.

1931-1938

Elle collabore à *L'Illustration*, qui devient *L'Illustration nouvelle* en 1936 puis *Montréal-Matin* en 1941.

1932-1937

Elle travaille à la radio, au poste CKAC (Montréal).

1932

Un autre recueil de poésie est publié: *Les masques déchirés.*

1935

Elle amorce une carrière d'interprète à Radio-Canada et joue dans plusieurs pièces classiques. Elle commence également à rédiger des sketches radiophoniques pour quelques radio-romans: « Fémina » (1936), « Quelles nouvelles » (1937-1952), « La Rhumba des radio-romans » (1938-1941).

1935-1939

Elle écrit plusieurs articles en vers pour *La Patrie.*

1937-1938

Elle signe des articles et des poèmes dans *La Revue moderne* et le *Samedi.*

1939-1944

Elle rédige des sketches humoristiques sur les vedettes de la radio dans l'hebdomadaire *Radiomonde.*

1942-1948

Elle participe à la fondation de la revue *Jovette* qui deviendra plus tard *Jovette illustrée.*

1945

Elle publie *Mon deuil en rouge,* un recueil de poésie en préparation depuis 1934.

1945-1981

Elle compose et fait jouer de nombreux radio-romans et téléromans dont « Je vous ai tant aimé ».

1950-1966

Elle fait partie de l'équipe de rédaction de *La Revue moderne,* devenue *Châtelaine,* en 1960.

1969

Elle remporte le prix du Cercle du livre de France pour son roman *Non Monsieur.*

1981

Elle meurt à Longueuil, le 4 décembre.

Tables des matières

BF BIBLIO • **FIDES**

François Barcelo
Nulle part au Texas
Ailleurs en Arizona
Pas tout à fait en Californie

Jovette Bernier
La chair décevante

Robert Choquette
Le sorcier d'Anticosti

Alfred DesRochers
À l'ombre de l'Orford

Guy Frégault
La civilisation
de la Nouvelle-France
1713-1744

André Giroux
Au-delà des visages

Alain Grandbois
Les voyages de Marco Polo

Madeleine Grandbois
Maria de l'hospice

Pierre Graveline
Les cent plus beaux poèmes
québécois

Germaine Guèvremont
Le Survenant

Yvan Lamonde
Louis-Antoine Dessaulles
1818-1895

Félix Leclerc
Adagio
Allegro
Andante
Dialogue d'hommes
et de bêtes
L'Auberge des morts subites
Le calepin d'un flâneur
Le fou de l'île
Le hamac dans les voiles
Moi, mes souliers
Pieds nus dans l'aube

Didier Méhu
Gratia Dei

Benoît Melançon
Les yeux de Maurice
Richard

Émile Nelligan
Poésies complètes

Félix-Antoine Savard
Menaud, maître-draveur